Trop de détectives

Jacques Sadoul

Trop de détectives

Une aventure de Carol Evans

ROMAN

Albin Michel

Ts'ui Pên a dû dire un jour : *Je me retire pour écrire un livre.* Et un autre : *Je me retire pour construire un labyrinthe.* Tout le monde imagina qu'il y avait deux ouvrages. Personne ne pensa que le livre et le labyrinthe étaient un seul objet.

Le Jardin aux sentiers qui bifurquent
JORGE LUIS BORGES

Personnages

A l'hacienda :

June McNally, la maîtresse des lieux
Pete Keyhoe, le régisseur
Angela Suarez, la cuisinière
Dolores Suarez, la femme de chambre

Les détectives :

Dr Helen Snyder alias Dr Kay Scarpetta
Stanley Holmes alias Sherlock Holmes
Gary Kopielowski alias Philip Marlowe
Luigi Lambrusco alias Lt Columbo
Kevin Owens alias Père Brown
Dr Stephen Sandford alias Ellery Queen
Lorenz M. Stillborn III alias Hercule Poirot
Gerhardt Van den Boogarde alias Commissaire Maigret

Les motards :

Jim Craddle dit Crâne de Fer
Susan Williams, son amie
Phil, Peter et Jo, leurs camarades

et

le shérif Hopkins
Miss Carol Evans

Chapitre 1

15 janvier 1994 - 16 h 30

La forêt, pins et séquoias entremêlés, s'étendait à perte de vue sur les collines. Le ciel était d'un bleu trompeur, on aurait pu se croire à la belle saison, mais dehors l'air était froid. Je conduisais lentement, attentive à ne pas rater l'embranchement du ranch. Je m'étais déjà perdue deux fois entre Northridge et la petite route qui mène au Big Tujunga Canyon en bordure de la forêt domaniale. Pourtant, en traversant San Fernando, on m'avait assuré que le Negro Zumbon n'était pas loin, une trentaine de kilomètres après la sortie de la ville. Toutes les bifurcations menaient sous le couvert des arbres, le ranch ne pouvait y être situé, les constructions privées sont interdites dans la Angeles National Forest. Je rencontrai enfin deux jeunes gens à bicyclette, type scouts attardés, qui me remirent dans la bonne direction. Je devais prendre un minuscule chemin de terre que je venais de dépasser en contrebas de la forêt. Un mauvais pont de bois, qui devait dater de la conquête de l'Ouest, permettait d'aller au-delà. Je le sentis craquer sous les roues du véhicule, ce qui m'inquiéta quelque peu, rien ne vaut le béton armé et tant pis pour les amoureux du pittoresque.

Depuis quelques jours, j'avais retrouvé le soleil de la Californie et une température plus clémente même si ce mois de janvier était encore trop froid à mon goût. Ici on le qualifiait de temps idéal pour justifier le vieux slogan de l'État : quatre cents jours de soleil par an !

J'avais trouvé l'invitation de June McNally, la propriétaire du ranch, en rentrant à Sausalito après une pénible semaine de Noël passée à New York qui m'avait valu pas mal de démêlés avec la police et le FBI. Je lui avais été recommandée, m'écrivait Mrs McNally, par le Bureau des homicides de San Francisco – Nicole Bryant certainement –, et elle désirait me faire participer à une grande *murder party* qui réunirait quelques amis. Une murder party, quelle idée ridicule, je croyais que cela ne se pratiquait que dans les romans policiers anglais d'avant-guerre ! J'aurais déchiré l'invitation sans même y répondre s'il n'y avait eu cette allusion à la police de Frisco. Un coup de fil à Nicole m'apprit qu'elle avait effectivement parlé de moi à Mrs McNally, une riche veuve d'une soixantaine d'années. Elle semblait craindre pour sa vie et avait souhaité la présence auprès d'elle d'une personne de confiance, de préférence une femme. Nicole Bryant avait aussitôt pensé à moi car elle avait été très impressionnée par la façon dont j'avais résolu l'affaire Dickinson. Le Sgt Bryant devait bien être le seul flic des États-Unis à ne pas me prendre pour une dangereuse psychopathe. Ma présence au ranch n'était nécessaire que pour la durée d'un long week-end, du samedi 15 janvier au lundi 17 inclus. Alors, plutôt que de m'ennuyer dans ma villa, j'avais accepté. Un vol intérieur m'avait conduit au Van Nuys Airport dans la San Fernando Valley où j'avais loué une Oldsmobile vert pomme et pris la route de l'hacienda.

Un mur d'enceinte hérissé de tessons de bouteille l'entourait, mais la grille de fer forgé était largement ouverte ; pour une femme qui avait besoin d'un garde du corps, elle ne prenait guère de précautions. Il est vrai que l'endroit était à l'écart, invisible depuis la route et, je pouvais en témoigner, quasi introuvable : personne ne devait s'aventurer par ici sans motif. Le danger devait venir des proches. Le portail du Negro Zumbon franchi, une longue allée bordée de plumbagos me conduisit à une suite de bâtiments dominés par une invraisemblable maison. Il me vint à l'idée que le vieil hôtel Ahwahnee du parc national de Yosemite avait dû servir de modèle, on y retrouvait de grosses pierres meulières, des toits en débord et des sortes de tours carrées qui, de loin, semblaient s'empiler les unes sur les autres. De près, on constatait que l'architecte y avait ajouté toute une série de terrasses artistiquement disposées pour que des plantes puissent descendre librement de l'une à l'autre. Autour de la demeure, on découvrait des fleurs à profusion malgré la saison, surtout des bougainvilliers et des cassiers. Les balcons, peints en ocre clair, contrastaient avec l'ocre foncé des encadrements des portes et fenêtres, ainsi que des tuiles des toits. Pas mal comme cabanon !

Je passai à côté de deux hommes qui examinaient le moteur d'une vieille voiture manifestement hors d'usage devant la porte entrouverte d'un atelier de garage. J'allai m'arrêter un peu plus loin, à côté de six autres véhicules, et revins vers les deux personnages, l'un était un petit prêtre en soutane, un catholique à n'en point douter. Son visage rond et réjoui lui donnait un air niais, d'autant qu'un parapluie parfaitement inutile pendait à son bras. Son compagnon me surprit encore plus, il portait un vieil imperméable froissé, fumait le cigare et avait une coquetterie dans l'œil. On aurait juré un sosie de Peter Falk dans le rôle du lieutenant Columbo. En y regardant de plus près, je constatai qu'ils se tenaient devant une vieille Peugeot, réplique exacte de celle qui est utilisée dans les feuilletons.

– Bonjour, je suis Miss Carol Evans.

Cette déclaration parut les plonger dans un abîme de perplexité, j'aurais proféré une incongruité que cela ne les aurait pas plus surpris. Ils s'entreregardèrent comme s'ils cherchaient dans leurs souvenirs qui pouvait bien être Carol Evans – et même

14

s'il pouvait raisonnablement exister une Carol Evans. Puis, comme leur silence commençait à devenir impoli, le petit prêtre me tendit la main :

– Soyez la bienvenue, Miss, je suis le Père Brown.

– Lieutenant Columbo, m'dame, se présenta l'autre. Faites-vous partie des invités de June ?

Ce fut à mon tour de rester muette, cet homme n'était pas Peter Falk. Se moquait-il de moi ? Je faillis répondre par une remarque caustique, puis une vague réminiscence traversa mon esprit. *Father Brown* de G.K. Chesterton, le « détective du Bon Dieu ». J'avais feuilleté un recueil de ses enquêtes il y a bien longtemps, par désœuvrement, dans une bibliothèque où j'avais dû effectuer une planque. Miséricorde ! Qu'étaient ces deux types ? Où étais-je tombée ?

– Oui, Mrs McNally m'attend, finis-je par répondre.

– Suivez-moi, Miss, je vais vous conduire à elle.

Le petit homme ramassa un chapeau d'ecclésiastique noir, à larges bords roulés, qui était posé sur le toit du véhicule du lieutenant, et le planta de travers sur sa tête. Ce faisant, son parapluie tomba et le Père Brown manqua s'étaler en tentant de le ramasser. J'aurais été bien incapable de dire s'il s'agissait de maladresse naturelle, ou s'il cherchait à imiter le personnage de Chesterton.

– Oh ! m'dame, un détail, me rappela le lieutenant.

Ah ! non, il n'allait pas être aussi enquiquinant que son modèle, celui-là ! Je me retournai, l'œil noir.

– Vous pouvez laisser vos affaires dans votre voiture, Pete viendra les prendre.

J'acquiesçai d'un signe de tête et suivis le prêtre. Il trébucha en grimpant les marches du perron et pénétra dans la maison par un salon qui donnait sur un large patio intérieur. L'endroit, froid en cette saison, devait être charmant le reste de l'année, un jet d'eau jaillissait d'une vasque de marbre et son murmure le disputait au chant de colibris en cage. Brown s'arrêta un instant pour écouter les oiseaux, le regard désespérément vide, souriant aux anges comme s'il m'avait oubliée, puis il parut se souvenir de ma présence et ouvrit une porte qui donnait dans un petit salon où un couple jouait à la canasta. La femme devait n'avoir guère plus de quarante ans, ce n'était donc pas notre hôtesse. Elle était vêtue d'un tailleur beige strict, rempli aux bons endroits, malgré cela elle manquait de sex-appeal : on sentait l'intellectuelle froide et arrogante. L'homme devait être un peu plus jeune, vêtu avec une élégance négligée ; son nez était surmonté d'un ridicule pince-nez. Celui-là devait personnifier Ellery Queen à n'en point douter, sa compagne ne me disait rien. En dehors des héros de romans policiers que tout le monde connaît, tels Holmes, Poirot, Queen, Nero Wolfe ou Philip Marlowe, je ne suis pas familière avec les autres, je préfère lire des romans d'amour pour me délasser.

– Le Dr Kay Scarpetta et Ellery Queen, me présenta le prêtre. Miss Carol Evans a rendez-vous avec June.

La femme me toisa et murmura un « Heureuse de vous rencontrer » qui parut lui arracher la gorge. Queen fut plus chaleureux et il ajouta :

– Je ne connais aucune Carol Evans, June aurait-elle fait une découverte ?

Je souris sans répondre, j'ignorais comment Mrs McNally comptait me présenter, moins j'en dirais pour l'instant mieux cela vaudrait. Le Père traversa un vestibule où, au passage, je pus admirer un magnifique râtelier d'armes à feu. Le maître de maison avait dû être un grand chasseur. Nous croisâmes une petite Hispanique, boulotte et sans charme ; elle portait le classique tablier blanc des soubrettes. Brown s'engagea dans un escalier à double rampe de marbre blanc, non sans avoir une nouvelle fois fait tomber son parapluie, puis, à l'étage, il frappa à une porte de bois laqué qui devait être épaisse car la réponse nous parvint étouffée. Il s'effaça pour me laisser passer et referma derrière moi.

Une femme à cheveux blancs, un peu forte mais encore belle, me fit signe d'entrer et se leva pour m'accueillir. Pour son âge, elle avait réellement beaucoup d'allure, je pense qu'elle aurait pu plaire à un homme plus jeune qu'elle. Elle était chaleureuse et je me sentis aussitôt en confiance.

– Carol Evans ? me dit-elle. Venez vous asseoir près de moi.

La chambre était inondée de lumière par une large baie qui donnait sur la sierra. Tout était blanc, les meubles, les bibelots, les coussins, le dessus-de-lit, jusqu'aux murs qui étaient tendus de soie immaculée. L'hôtesse elle-même portait une robe de laine blanche, son goût pour cette couleur expliquait sans doute qu'elle n'ait pas voulu teindre ses cheveux au risque de se vieillir. Le gris et l'ocre, qui dominaient à l'extérieur de l'hacienda, étaient dus sans doute au défunt Mr McNally. Dans cette pièce il ne restait de lui qu'une grande photo de mariage posée sur une commode.

– Avez-vous trouvé cet endroit perdu sans trop de problèmes, Miss Evans ?

– A dire vrai, je me suis égarée deux ou trois fois, madame. Votre demeure est réellement à l'écart de tout.

– Oui, John, mon mari, était assez misanthrope et il désirait passer les dernières années de sa vie loin des hommes, exception faite de nos amis, naturellement. Il a dessiné lui-même les plans de cette maison et en a surveillé la construction pendant plusieurs mois. Il n'a malheureusement pas pu en profiter longtemps, un infarctus foudroyant l'a emporté seulement deux ans après notre installation ici. John était plus âgé que moi, mais nous étions mariés depuis vingt ans déjà et très heureux ensemble. Une fois restée seule dans cette immense bâtisse, j'ai hésité. J'aurais pu acheter une villa sur la côte, j'ai préféré y demeurer en souvenir de mon mari. Je reçois beaucoup et, à la saison chaude, je fais une grande croisière. L'été est torride, le thermomètre avoisine les cinquante degrés.

– Cela ne me surprend pas.

– Ce week-end est consacré à notre murder party annuelle. La mode des jeux de rôles a relancé ce genre de distraction qui ne se pratiquait plus guère depuis les années trente. Je suppose que vous n'avez jamais participé à un tel jeu ?

– Jamais, en effet, je n'en ai eu le goût ni l'occasion. J'ai rencontré quatre de vos invités en arrivant et je dois dire que leur identité m'a quelque peu surprise, du moins celle des hommes. Le nom de la jeune femme m'est inconnu et j'ignore s'il s'agit aussi d'un personnage de roman.

June McNally eut un petit rire de gorge.

– Bien sûr, Kay Scarpetta est une héroïne créée par Patricia Cornwell et a beaucoup de succès à l'heure actuelle. Le Dr Scarpetta est médecin légiste ce qui permet à l'auteur d'avoir une approche originale des intrigues policières.

Elle sonna et la petite Hispanique que j'avais croisée dans le hall apparut.

– Dolores, apportez-nous du thé au jasmin, quelques toasts et de la marmelade d'oranges amères.

Elle la congédia d'un geste puis reprit :

– Quelques mots d'explication s'imposent, puis je vous ferai montrer votre chambre, je pense que vous avez envie de vous rafraîchir. Voilà : mon mari et moi étions des fanatiques de romans policiers et John, qui était un grand collectionneur, en a réuni plus de cinq mille. Je vous les montrerai, ils sont exposés ici dans la petite bibliothèque, il y en a de très rares. John a même connu personnellement plusieurs auteurs célèbres avant notre mariage. Je sais qu'il a rencontré Fred Dannay et Manfred B. Lee, les « Ellery Queen », Rex Stout, Mickey Spillane et, lors d'un voyage en Angleterre, Dorothy Sayers, la créatrice des merveilleux Lord Peter, vous connaissez ?

– Non, madame, je suis désolée, je ne lis pas beaucoup ce genre de livres.

– Rassurez-vous, la grande bibliothèque renferme tous les classiques et les plus grands écrivains du siècle. Vous n'aurez que l'embarras du choix.

« Oui, mais sûrement pas de romans à l'eau de rose », me dis-je.

– Je vais essayer de lire quelques aventures des personnages ici présents, cela me permettra de mieux comprendre leurs réactions. Par exemple, je me suis déjà demandé si le petit prêtre est réellement maladroit ou s'il se conforme à la description qu'a donnée Chesterton du Père Brown ?

– Vous connaissez Chesterton ? Vous n'êtes donc pas si ignorante que cela. Votre idée est excellente, je vous conseillerai dans le choix des titres. Le Père est naturellement maladroit et il n'a pas eu à beaucoup forcer son talent pour se mettre dans la peau du personnage. Mon mari était membre d'un club d'amateurs passionnés par cette littérature et, une fois installé ici, il eut l'idée de réunir certains d'entre eux pour parler ensemble du sujet qui leur tenait à cœur. Lors de la première rencontre, l'un des participants arriva déguisé en Sherlock Holmes et c'est ce qui nous a suggéré l'idée des réunions actuelles. Après la mort de John, j'ai perpétué la tradition. Chaque invité incarne un détective célèbre et tous s'affrontent au cours d'une murder party, un tirage au sort ayant désigné secrètement l'un d'eux pour être l'assassin.

– Et la victime ?

– C'est toujours moi. C'est un rôle reposant, un peu comme de faire le mort au bridge. C'est ici que vous intervenez. Il se pourrait – mais je me fais probablement du souci pour rien – que le meurtre soit réel cette fois-ci. Disons que je pourrais recevoir la visite de deux assassins, celui désigné par le sort et un autre, un vrai… Votre tâche consistera à ne pas me quitter de la soirée et, éventuellement, à passer une partie de la nuit dans ma chambre si le jeu n'est pas terminé à minuit. C'est pourquoi j'ai demandé au Sgt Nicole Bryant de m'indiquer une femme. Je vous présenterai comme une amie venue me tenir compagnie quelques jours et nous nous appellerons par nos prénoms. La murder party se déroule traditionnellement le dimanche soir après le repas, autrement dit demain. Voilà, je crois que je vous ai tout dit.

– Tout ?

– Oui, enfin l'essentiel, vous n'avez pas besoin d'en savoir davantage. Dès lundi matin les invités partiront et tout danger, si danger il y a, sera écarté. Votre dernière obligation consistera à quitter l'hacienda la dernière.

– Qui soupçonnez-vous ?

– Oh ! non, ma chère enfant, cela je ne vous le dirai pas. J'ai déjà honte de mettre en doute la loyauté d'un ami, d'un proche, je ne vais pas aller le clamer sur les toits. Restez près de moi, cela suffira à écarter tout danger. Naturellement, je saurai apprécier généreusement vos services.

La petite Hispanique apporta alors la collation demandée et June ne me parla plus que de l'époque où son mari vivait encore. Je crus comprendre qu'il avait près de dix-huit ans de plus qu'elle, mais elle paraissait l'avoir aimé sincèrement. J'ai déjà de la peine à admettre qu'une femme puisse aimer un homme, alors un vieux...

– J'espère que cette marmelade vous a plu, Carol, ma cuisinière, Angela, la prépare elle-même. Maintenant je vais vous faire montrer votre chambre, elle est contiguë à la mienne. Pete a déjà dû monter vos bagages.

– Deux questions encore. Avez-vous une nombreuse domesticité ?

– Non, car je vis seule la plupart du temps. Trois personnes me suffisent amplement, Pete, Angela, et la femme de chambre, Dolores, que vous venez de voir. Tous trois ont été engagés par mon mari dès notre arrivée ici, il y aura bientôt neuf ans, et j'ai toute confiance en eux. Pete Keyhoe a cinquante-trois ans, il me sert à la fois de régisseur, de chauffeur et d'homme à tout faire. Je sais que je peux compter sur lui. Il vit avec Angela Suarez, qui a huit ou dix ans de moins que lui. Ils n'ont pas d'enfant. La cuisine d'Angela est excellente et pas trop épicée, comme c'est souvent le cas chez les Hispaniques. Sa sœur Dolores vient d'avoir quarante ans, elle a été mariée voici une dizaine d'années, mais avait déjà divorcé lorsqu'elle est entrée à notre service. Elle s'occupe de la maison et sert à table, elle n'est pas très gracieuse mais c'est une gentille fille. Il n'y a personne d'autre en hiver, l'été nous utilisons quelques *peónes*.

– Et le nombre de détectives ?

– Il aurait dû y en avoir dix, je pense que huit ou neuf seulement viendront, l'ami qui devait personnifier Nero Wolfe vient de se décommander, j'avais pourtant fait aménager une serre aux orchidées pour lui. Ils ne logent pas dans cette maison, mais dans une annexe construite spécialement pour les invités. Vous l'apercevrez de votre fenêtre. C'est une phobie un peu ridicule, mais je n'aime pas partager mon intimité. Vous, c'est différent, étant donné votre rôle.

Ma chambre donnait sur une cour intérieure, bordée à droite par les écuries et, plus loin à gauche, par un corral, en face se dressait le bâtiment bas et de forme octogonale, destiné aux détectives. On apercevait la sierra dans le lointain nimbée d'une lumière bleuâtre. Ma valise et mon vanity case étaient là, posés sur une table basse. Un bouquet d'orchidées en branche ornait la table de nuit. Un mobilier en rotin, de style colonial, se mariait assez bien avec des murs tendus d'un tissu blanc cassé. Tout comme chez June, une grande photo encadrée la représentait le jour de son mariage. C'était alors une jolie femme à la maturité épanouie, les deux hommes qui l'entouraient me parurent bien ternes, décrépis pour tout dire. Le plus grand, au nez busqué, se tenait un peu en retrait, ce devait être le frère du marié vu leur ressemblance.

J'examinai la porte, une serrure à verrou permettait de la fermer de l'intérieur, j'avais remarqué la même chez notre hôtesse, étant donné l'épaisseur des portes on ne risquait pas une intrusion nocturne. Je jetai ensuite un coup d'œil à la porte-fenêtre qui donnait sur une petite terrasse, des volets de bois pouvaient la fermer hermétiquement. Le tronc aux branches multiples d'une énorme glycine s'élançait du sol jusqu'à mon balcon. En bas, deux hommes fumant la pipe se promenaient, ils portaient des feutres mous et l'un d'eux me fit aussitôt penser à Marlowe. Pas tellement dans son interprétation par Bogart, qui est difficilement imitable, mais plutôt dans celle de Dick Powell, cet ancien crooner de comédie musicale reconverti dans les rôles de flic privé. L'autre homme, plus corpulent, engoncé dans un gros pardessus, ne m'évoqua rien. Il était temps de passer sous la douche.

La salle de bains était luxueuse, bien éclairée par une vitre géante de verre translucide. Une minuscule fenêtre s'ouvrait à côté, je jetai un coup d'œil : en face, une autre terrasse distante de plus de dix mètres, entre les deux le vide. La douche me fit du bien, j'ai toujours l'impression que la poussière pénètre dans une automobile autant que dans une ancienne diligence de l'Ouest. Sans doute une de mes idées folles. Ensuite, je vidai ma valise, mieux garnie que de coutume, j'allais devoir « m'habiller » au milieu de ces gens. Je me trouvai dans la *high society* et le tailleur de la pimbêche aperçue en bas en était la preuve, il devait valoir son poids en dollars. Non que j'aie des problèmes d'argent, j'ai même plus d'argent qu'il ne m'en faut, mais je n'ai aucun goût pour les vêtements. Je n'achète que le strict nécessaire. Cette fois, j'avais pris la précaution d'emporter tout ce qui me paraissait le plus élégant parmi mes maigres possessions, Nicole m'ayant parlé du train de vie de notre hôtesse. J'étais même allée jusqu'à acquérir quelques fringues supplémentaires, après tout cela pourrait toujours me servir.

Ce soir, je porterais une robe noire, simple et décolletée en V qui mettrait en valeur mes seins. C'est ce que j'ai de mieux, alors autant les montrer, les hommes adorent les dévorer des yeux, à défaut de pouvoir y toucher. Plus jeune, je ne pouvais le supporter, j'y voyais une sorte de viol, maintenant je m'en sers, et puis cela fera enrager le Dr Je-ne-sais-plus-comment. Elle a l'air bien roulée, mais j'ai cinq bons centimètres de tour de poitrine de plus qu'elle et ça, ça ne pardonne pas. En attendant, je revêtis un pull angora bleu sur un pantalon grège et je descendis. Pete Keyhoe se tenait dans le hall prêt à répondre aux désirs des invités ; sec et maigre, bronzé par le soleil, il avait tout à fait le type de l'homme du désert californien. J'étais un peu perdue et je me fis indiquer le petit salon où Kay et Queen jouaient à la canasta.

Ellery était là, seul, qui rangeait les cartes.

– Ah ! voilà notre belle inconnue. J'avoue que vous nous intriguez fort, Miss Evans, ni Kay, ni le Père Brown, ni moi n'avons jamais entendu parler d'un personnage portant votre nom. Notre érudition serait-elle prise en défaut ?

– Non, Mr Queen, je suis une amie de June venue passer quelques jours avec elle, rien de plus. Demain soir, je ne participerai pas à votre murder party, je serai seulement spectatrice.

– C'est dommage, notre confrérie manque désespérément de jolies femmes, Kay Scarpetta et Jenny Cain exceptées naturellement, la plupart des autres ont autant de sex-appeal que Miss Marple. Puis-je vous appeler Carol ?

– Naturellement, Ellery. Je suppose que vous vous connaissez tous en dehors de ces réunions où vous assumez l'identité d'un limier célèbre ?

– Pas du tout. Il se trouve que je connais Kay sous sa véritable identité, mais c'est un hasard. June compte beaucoup d'amis et renouvelle toujours ses invités à chaque réunion, cela rend les choses plus im-

prévues, plus intéressantes. A la prochaine murder party il y aura naturellement un Ellery Queen, mais ce ne sera pas moi. En ce qui me concerne, je reviendrai en avril pour la rencontre bibliophilique qui réunit chaque année des collectionneurs acharnés. Vous seriez étonnée du prix que peut atteindre une édition originale de *A Study in Scarlet* de Conan Doyle, la bibliothèque de feu McNally vaut une fortune. Il a même un manuscrit original de Poe.

– Je vois. Vous ignorez donc qui est le Père Brown ?

– Je ne sais même pas s'il est vraiment prêtre. A l'entendre, on le croirait pourtant.

– Ce n'est pas très compliqué à imiter, mais il a effectivement l'air très authentique. Certains d'entre vous sont-ils des policiers professionnels ?

– Cela non, les statuts de l'association l'interdisent. Dommage que nous n'ayons pas un Philo Vance parmi nous aujourd'hui, ce poseur vous aurait récité les règles édictées par son créateur, Van Dine. L'une d'elles précise que le détective doit toujours être amateur. Cette obligation n'est plus respectée dans les romans à l'heure actuelle, voyez le surintendant Dalgliesh ou le commissaire Maigret, mais nous l'avons conservée pour les membres de notre club. Nous avons un Maigret et un Columbo ici, je ne

les connais pas, mais je suis bien certain que leur pro-
fession n'a rien de commun avec celle de leur
modèle.

Je commençai à perdre pied, Philo Vance, Dalgliesh, Maigret, tous ces noms m'étaient inconnus.
Je l'avouai à Queen, mieux valait être ignorante que
ridicule.

– C'est sans importance et puis cela me permettra
d'être votre conseiller technique en quelque sorte.

– Conseiller technique dans l'étude des positions
du Kâma-sûtra, je présume ? Ne perds pas ton temps,
El.

La voix sèche du Dr Scarpetta nous fit sursauter.
Cette fille considérait manifestement Queen comme
sa chasse gardée et voulait me tenir à l'écart. C'était
peut-être son mec, après tout. Mais quant à perdre
son temps, elle n'en savait rien, elle ignorait mes
goûts. L'arrivée de notre hôtesse mit fin à la petite
passe d'armes.

– Ah ! je vois que vous avez fait la connaissance de
mon amie Carol qui vient me tenir compagnie quelques jours. Demain soir elle restera avec moi et sera
en quelque sorte notre grand témoin, ainsi il n'y
aura aucune contestation possible.

– Il ne saurait y en avoir, madame, car un autre
témoin sera présent, ne l'oubliez pas.

Le prêtre se tenait sur le seuil, parapluie dans une
main, chapeau dans l'autre.

– Et qui donc, mon Père ?

– Dieu, madame.

Chapitre 2

16 janvier - 19 heures

Le Père Brown récita le bénédicité, puis les invités s'assirent autour d'une grande table dans une longue salle à manger aux murs revêtus de cuir rouge sombre qui jouxtait la bibliothèque. Ellery me souffla que le mobilier était de l'authentique Louis XIII, ce qui ne m'impressionna pas particulièrement. Je n'avais aucune idée de l'époque à laquelle avait régné ce roi, je savais que La Fayette avait vécu avant de Gaulle, rien d'autre. Enfin, les hauts dossiers des chaises ne faisaient pas mal au dos, c'était toujours ça. June McNally présidait, me faisant face ; Kay Scarpetta était entourée de Sherlock Holmes et Hercule Poirot d'un côté, Ellery Queen et Philip Marlowe de l'autre. J'avais moi-même le petit prêtre et le Lt Columbo à ma gauche et le commissaire Maigret à ma droite. Une chaise restait inoccupée devant un couvert mis. Notre hôtesse prit la parole :

— Mes amis, je viens de recevoir un coup de fil

d'Adam Dalgliesh qui ne pourra malheureusement être des nôtres, ses affaires le retiennent à Sacramento. C'est dommage, il nous aurait récité quelques-uns des charmants poèmes dont il est l'auteur.

– Tant mieux, m'dame, me souffla Columbo à l'oreille, je ne comprends rien à la poésie. Ma femme me le reproche sans cesse et je la vois souvent un volume de Shelley à la main.

C'est vrai, j'avais oublié l'existence de l'invisible, insupportable et omniprésente Mme Columbo. Au moins les autres ne traînaient-ils pas pareil boulet. Peut-être le gros commissaire français était-il marié, je n'en savais rien. Quelle idée d'avoir choisi un personnage aussi peu connu et étranger de surcroît, comme si nous n'avions pas suffisamment de héros en Amérique ! Mannix, Mike Hammer ou Perry Mason auraient bien mieux fait l'affaire. Et puis pourquoi un Français ? Il ne parlait guère, voilà au moins un point en sa faveur.

Le Holmes de service était très convaincant, la cinquantaine, grand, mince, le front légèrement dégarni, l'œil inquisiteur, même sans son alpenstock je l'aurais identifié sans peine. Ellery m'avait présentée à lui la veille au soir, au moment des cocktails. Le Maître m'avait examinée avec une insistance que j'aurais trouvée déplacée chez tout autre que lui, mais j'étais curieuse de savoir s'il pouvait faire des déductions aussi surprenantes que celles de l'hôte du 221B Baker Street.

– Voici une bien charmante jeune femme, Queen,

dit-il en s'inclinant devant moi. Qu'elle n'ait jamais été mariée explique sans doute l'intérêt qu'elle porte aux romans d'amour, mais ce goût n'est-il pas surprenant chez une personne aussi experte dans le maniement des armes à feu ?

La stupéfaction dut se lire sur mon visage car Ellery éclata de rire.

– Notre ami Sherlock est très fort, je l'ai découvert ce matin à mes dépens. Je vous laisse car il n'accepte pas de révéler ses déductions devant des tiers, il tient à garder son aura de mystère.

– Je ne devrais jamais donner la moindre explication, sinon ce qui paraît extraordinaire devient insignifiant.

Holmes me prit familièrement par le bras et m'emmena dans la petite bibliothèque, celle dont, d'après June, les murs renfermaient tous les trésors de la littérature policière. Au-dessus de la cheminée, je découvris une panoplie d'armes blanches, épées, sabres, poignards et arbalètes anciennes, toutes impeccablement astiquées.

– J'ai raison, naturellement ?

– Oui, je l'admets, Mr Holmes. Pourquoi pensez-vous que je n'ai jamais été mariée ? La trace d'une alliance à mon doigt a pu disparaître avec le temps.

– Certes. Je vous ai entendue vous présenter à Brown et Columbo, j'étais tout près, dans l'atelier du garage. Vous avez dit *Miss* Evans et non *Ms*, qui se prononce *miz*. A votre âge cela signifie en général qu'une femme n'a jamais laissé un homme lui passer la bague au doigt. Néanmoins, j'avoue que c'était mon assertion la plus aventureuse, les autres ne font aucun doute.

– Aucun doute ! J'ai dit à June que je n'étais pas grande lectrice de romans policiers, soit. Mais comment pouvez-vous affirmer que je lis des romans sentimentaux ? L'un n'entraîne pas forcément l'autre.

– June n'est pour rien dans ma réflexion, elle ne m'a pas parlé de vous. Si vous ne voulez pas que votre goût pour ce type de livre se sache, il ne faut pas en laisser traîner un dans la boîte à gants de votre voiture. Acheté le jour même au Van Nuys Airport, le ticket de caisse en fait foi.

Je ne pouvais que m'incliner. J'avais acquis ce bouquin machinalement, j'en prends toujours un par crainte de m'ennuyer. Mes bagages avaient été montés dans ma chambre par le régisseur et j'avais oublié d'aller rechercher le livre dans l'Oldsmobile. Ce soir je commencerai la lecture d'un bouquin de Patricia Cornwell prêté par June, *Post-Mortem*. Un peu crade dans les descriptions d'autopsie, m'avait dit June, mais pas mal par ailleurs.

– Très bien, j'avoue. Néanmoins, le fait d'avoir fouillé la boîte à gants de ma voiture ne peut-il être assimilé à un viol de la propriété privée, Mr Holmes ?

– Je vois que vous avez fait du droit. Cela ne me surprend pas, il y a généralement beaucoup d'avocats dans ces sortes de réunion. Votre véhicule n'était pas fermé, il ne saurait donc y avoir acte délictueux, disons un peu de curiosité.

– Soit, et les armes ? Je n'ai pas disposé un arsenal sur la banquette arrière de l'Oldsmobile et mon pull est trop collant pour dissimuler un kalachnikov.

– En arrivant, vous avez traversé le vestibule derrière le Père Brown et vous êtes passée devant un râtelier de fusils et de carabines. Vous vous êtes arrêtée un instant devant, oh ! une fraction de seconde, et vous avec rectifié la hausse d'une des armes. Je vous observais depuis la galerie. Je suis descendu et j'ai examiné la carabine, seule une personne familière de cet engin pouvait agir ainsi.

Cet homme était redoutable, je ne m'étais pas rendu compte de mon geste.

– Je tire assez bien, c'est vrai, Mr Holmes. Rien d'autre ?

– Pas pour l'instant. En revanche, en raison de mon âge, je me permettrai d'ajouter une chose qui vous concerne : vous plaisez beaucoup à Mr Queen et cela dérange les projets que Kay Scarpetta avait formés à son endroit.

– Cela, il n'était pas nécessaire d'être votre illustre homonyme pour s'en rendre compte. Est-ce un couple ?

– Certainement pas. June préfère inviter des personnes qui ne se connaissent pas, ainsi elles ne sont pas tentées de laisser leur vie privée interférer avec leur personnage. Elle ignorait probablement que Queen et Ms Kay se connaissaient, leur rencontre doit être récente.

– Je vois. Félicitations, Mr Holmes, vous êtes très

fort. Si vous découvrez des choses horribles sur mon compte, évitez d'en parler, n'oubliez pas que je sais tirer.

– Je n'oublierai pas, Miss Evans.

Le cuir rouge qui recouvrait les murs de la salle à manger, joint à l'éclairage fuligineux créé par une série de candélabres, donnait un aspect inquiétant à la pièce. A midi, sous le soleil, elle m'avait paru banale, mais ce soir il en allait autrement. Sans doute s'agissait-il de préparer psychologiquement les invités à la murder party qui allait suivre. Tous les hommes avaient revêtu un smoking, June portait une robe blanche venue tout droit de Paris, Kay était super-élégante, en noir comme moi, mais je montrais bien cinq centimètres de nichons de plus qu'elle pour le plus grand plaisir de Mr Queen. Si le regard d'une femme pouvait tuer, je serais déjà morte.

La conversation roula uniquement sur des intrigues de romans policiers et chaque participant expliquait comment il aurait tenté de résoudre l'énigme. Le Dr Scarpetta voulait partir du corps de la victime et lui arracher tous ses secrets jusqu'à établir un profil du meurtrier. Pour moi un mort est un mort et je ne vois pas ce qu'on peut en tirer, sinon le calibre d'une balle, la taille d'un couteau ou le type de poison employé. Le Français expliqua qu'il cherchait à s'imprégner de l'atmosphère du lieu du crime et du mode de vie de la victime. Je ne sais pourquoi, il semblait lui falloir boire un grand nombre de petits blancs ou de verres de bière dans les troquets des environs pour y parvenir. Curieuse méthode, mais pas tellement inattendue après tout, la France est peuplée d'alcooliques.

Plus étrange encore étaient les déclarations du Père Brown. Il m'avait entreprise au cours de la journée, à un moment où Queen ne m'accaparait pas, rappelé à l'ordre par Kay, et sa première affirmation m'avait stupéfiée :

— Vous savez, Miss, il existe une grande différence entre toutes ces personnes et moi. Ce sont des détectives, je suis un criminel.

— Quoi ! Vous plaisantez ?

— Nullement. Tous ces meurtres que j'ai eu à élucider, cela m'a été facile car c'est moi qui les avais commis.

— Vous ? C'est impossible, je sais bien que non. On ne vous nomme pas le détective du Bon Dieu pour rien.

— Mais si, essayez de me comprendre, mon enfant. A chaque nouvelle affaire, je cherche à envisager comment je pourrais commettre le crime, dans quel état d'esprit je devrais être, quelle conduite il me faudrait adopter. A la fin, quand je suis complètement dans la peau du criminel, je sais qui il est, c'est évident, mais c'est comme si j'avais commis l'acte moi-même et j'en suis souillé. Je dois me laver l'âme ensuite. C'est pour cela que je reconnais être un

grand coupable. Ne soyez pas surprise, cette méthode est ancienne et elle ne s'appliquait pas à l'origine à la criminologie. Je l'ai seulement adaptée.
Croyez-moi, réussir à se mettre à la place de quelqu'un, à s'identifier à lui, n'était pas une expérience
nouvelle pour moi, je la pratiquais déjà en tant
qu'exercice religieux. C'est notre père supérieur qui
me l'avait enseignée, il en avait été instruit par Sa
Sainteté le pape Léon XIII.

Dire que je ne croyais pas un mot de ces élucu-
brations serait peu dire, mais le visage rond du prêtre exprimait si bien bonté, naïveté, gentillesse que
je ne me sentais pas le courage de lui faire de la
peine. Je l'écoutais sans rien dire.

Après tout, sa façon de procéder n'était pas plus
absurde que les petites cellules grises de Mr Poirot.
L'ineffable bonhomme plastronnait près de Holmes, panse rebondie, visage en forme d'œuf, moustache cirée et allure de dandy. A chaque nouvelle
énigme proposée il affirmait qu'Hercule Poirot
l'aurait résolue mieux et plus vite, et pourfendait la
maladresse de l'auteur, ce qui lui valut quelques
remarques acides de la part de Kay. Il l'ignora super-
bement, ce qui ne me surprit pas. La veille, lors des
présentations, je n'avais pas eu droit à une attention
spéciale de sa part, il était clair que nous apparte-
nions à une race inférieure à ses yeux, celle des
femmes.

Holmes observait, Queen s'amusait, Columbo et
Marlowe mangeaient. Il est vrai qu'ils étaient quel-

que peu décalés par rapport à tous ces intellectuels, peut-être en faisaient-ils partie eux-mêmes dans le privé, mais le personnage qu'ils incarnaient ne leur permettait pas de le manifester. C'étaient des enquêteurs-questionneurs qui découvraient la vérité grâce à de petits détails pour le lieutenant, à coups de poing et de flingue pour le héros de Chandler. A y bien regarder, Philip Marlowe était quelqu'un dans mon genre, un solitaire, un désenchanté. Pourtant, je ne me sentais pas tellement d'affinités avec l'homme assis à notre table, Bogart reste le modèle idéal du personnage, même s'il était un peu petit. Dick Powell fut un bon interprète de Chandler, mais je n'ai jamais pu m'empêcher de voir par-derrière le chanteur gominé de *Dames* ou de *42nd Street*. Et puis « notre » Marlowe avait le nez un peu trop busqué pour mon goût.

A la fin du repas, Queen fit le tour de la table pour venir tirer ma chaise, laissant Poirot s'occuper de celle de Kay. Elle en resta bouche bée. Holmes et le Père Brown se précipitèrent pour aider June à se lever au risque d'arracher le siège de sous ses augustes fesses. Fichtre, je n'avais jamais été habituée à tant de prévenance ! La rage qui étincelait dans les yeux de Kay me réjouissait le cœur, physiquement elle ne me déplaisait pas mais, je ne sais pourquoi, il y a des gens qui vous sont immédiatement antipathiques. Pourtant son bel Ellery ne saurait m'intéresser mais, pour un week-end, je pouvais bien m'amuser un peu. De toute façon, les minettes n'abondaient pas autour de nous.

– Vous avez dû vous ennuyer à mourir, Carol, et nous traiter tous de phacochères gâteux, me dit-il.

– Gâteux, oui. L'autre mot, il faudra me fournir un dictionnaire ou une explication de texte. Je pense que cette murder party va se terminer par un meurtre réel, le vôtre, El, commis par votre médecin préféré.

Il rit.

– Kay est possessive et collante, d'accord, c'est aussi une langue de vipère, mais elle n'aurait jamais le courage de m'occire. Lexique pour ce mot ?

Je lui tirai la langue.

– Nous nous sommes rencontrés à un congrès de médecins et j'ai commis la bêtise de flirter un peu trop avec elle.

– Flirter ! Disons que vous l'avez baisée, si cette expression ne vous est pas inconnue.

– Je puis admettre quelques écarts de langage... et de conduite. Vous comprenez maintenant pourquoi June ne veut pas d'invités qui se connaissent, elle a raison, on risque de sortir du jeu de rôles. Déjà je vous ai révélé que nous étions tous deux des médicastres, ce que je n'aurais pas dû faire. Ne le répétez pas aux autres, je vous en prie.

– Elle est légiste ?

– Grands dieux, non ! Rien d'aussi sordide. Elle est oto-rhino, plutôt bonne à ce qu'il paraît.

– Et vous ?

– Pneumologue, c'est avec joie que je vous ausculterai.

A le voir mater mes lolos, il n'y avait aucun doute là-dessus. Les hommes, même intelligents et cultivés, sont tous aussi bêtes les uns que les autres. Comme notre prof d'anglais nous l'enseignait à la *high school* : laissez apercevoir une longueur de jambes, quelques centimètres d'entre-seins, et vous aurez tous les garçons à vos pieds. Mais empêchez-les de toucher, ajoutait-elle aussitôt. C'était exactement la méthode que je comptais employer avec Mr Queen.

– Mes poumons vont bien, Ellery, intérieurement et extérieurement. Et je n'ai pas besoin qu'on me borde dans mon lit, je suis du genre chat sauvage.

– C'est celui que je préfère, me répondit-il sans se démonter en accompagnant sa réponse d'une petite courbette.

Après le café pris dans le grand salon, tous les détectives nous quittèrent pour rejoindre le bâtiment qui leur était réservé. Je ne les enviais pas de sortir, les nuits sont froides en cette saison. Kay fut la seule à revêtir un manteau, j'avoue que j'en aurais fait autant. Ils revinrent quelques minutes plus tard portant chacun un sac ou une mallette.

– Leur nécessaire d'enquêteur, ou de meurtrier, me souffla June.

Elle réclama le silence et tout le monde fit cercle autour d'elle. Dolores éteignit encore quelques candélabres pour accentuer la pénombre. Maintenant seule la silhouette blanche de Mrs McNally était éclairée.

– Mes amis, voici venu le moment de notre jeu. Je vous en rappelle les règles. Vous allez tirer au sort des papiers pliés en deux, prenez-en un et glissez-le dans votre sac ou votre poche, mais ne le regardez qu'une fois seuls. Sept sont blancs, ce sont ceux des détectives, l'un comporte une tête de mort, c'est celui du criminel. Ce dernier devra, sans être vu ni faire de bruit, arriver jusqu'à ma chambre – dont la porte sera ouverte – et m'assassiner. Tout cela dans l'obscurité, les lampes torches sont interdites, je vous le rappelle. En outre, le criminel devra laisser trois indices subtils qui n'incriminent que lui seul. Il aura ensuite dix minutes pour disparaître et prévenir Pete qui fera résonner un gong et éclairera la maison. Nos huit invités seront alors admis pour poser des questions, chercher les indices, essayer d'en comprendre le sens caché et confondre le coupable. Mon amie Carol me tiendra compagnie, mais restera muette naturellement. Des questions ?

– Quelle arme devrons-nous employer ?

– Nous y venons. Voici quatre autres papiers où sont inscrits les mots : revolver, poignard, corde, poison. Je les roule en boulette et les jette dans ce vase. Carol, ma chérie, introduisez votre main innocente et saisissez-en un.

Kay se permit un ricanement vulgaire. Espèce

d'oto-rhino, même pas capable de découper proprement un cadavre !

– Poignard, annonçai-je après avoir déplié le papier.

Dolores apporta l'arme et June fit mine de l'enfoncer dans son avant-bras. La lame rentra dans le manche.

– Ce couteau se trouvera sur ma table de nuit, à la disposition du meurtrier, vierge de toute empreinte. Autre question ?

– Où devrons-nous attendre ? demanda Brown.

– Pete vous conduira dans des chambres insonorisées réservées à cet effet dans une autre aile de la maison. Presque des cellules monacales, mon Père. Elles donnent à la fois sur un couloir qui ramène dans le vestibule et dans l'arrière-cour. Ces pièces sont isolées les unes des autres, ainsi chacun ignorera les mouvements du voisin, l'architecte a conçu leur agencement très astucieusement. Vous avez parfaitement le droit de vous précipiter à mon aide si l'assassin est assez maladroit pour faire du bruit Vous pouvez même quitter votre chambre pour surveiller d'éventuels déplacements, mais dans le noir absolu uniquement. D'autres questions ?

Il n'y en avait apparemment plus.

– La corbeille, Dolores, ordonna Mrs McNally.

La jeune femme tendit l'objet et huit mains y puisèrent un bout de papier que nul ne déplia.

– Oui, Ellery ?

Queen avait levé le bras pour demander la parole.

– Une fois parvenu ici, le criminel n'a plus qu'à placer ses indices et prendre l'escalier qui mène à votre chambre, June. C'est trop facile, je suggère d'y disposer quelques obstacles qui rendront la montée plus difficile.

– Pourquoi pas ? Le règlement ne l'interdit pas, et puis ce sera une nouveauté, répondit-elle.

– Amusant, laissa tomber Poirot, toujours aussi suffisant.

– Venez, Carol, me dit June.

Une fois à l'étage, je vis Ellery Queen déplacer quelques chaises et poser divers objets sur les marches de l'escalier tandis que ses sept collègues le regardaient faire. Il plaça en équilibre des tisonniers et des pincettes prêts à choir bruyamment au moindre frôlement. Il faudrait être un chat pour passer par là sans lumière.

J'allai prendre mon pistolet, un Sig Sauer P. 22O, calibre .45, dans ma mallette et rejoignis Mrs Mc Nally dans sa chambre. Elle avait laissé une veilleuse allumée.

– Cette arme sera certainement inutile, ma chère, votre présence seule suffira à décourager toute initiative fâcheuse. Mes invités sont des hommes du monde, pas des malfrats, aucun n'attenterait pas à la vie d'une tierce personne.

Tout en parlant elle avait retiré ses chaussures et s'était allongée sur le lit, le buste redressé par des coussins. Je vis que ses pieds et ses chevilles avaient enflé.

– Mettez-vous à l'aise, reprit-elle. Cela peut être long, entre dix-huit minutes, record établi par le Saint, et une bonne heure. Le plus lent a été un Nero Wolfe, il est vrai que sa corpulence le gênait. Tout dépend qui le sort aura désigné. Notons l'heure : 21 h 12.

– Il y a peu de chances, une sur huit, pour que ce soit la personne que vous redoutez.

– Naturellement, c'est pourquoi je craignais une double visite. De toute façon, qui que ce soit, tant qu'il utilise le poignard de théâtre qui est là, je ne cours aucun risque. La règle veut que la veilleuse reste toujours allumée et aucun tour de passe-passe n'est possible.

–J'y prendrai garde.

– Remarquez, ma chère, pour une fan d'intrigues policières comme moi la rencontre des deux criminels, le vrai et le faux, n'aurait pas manqué d'intérêt. Mais mieux vaut ne pas tenter le diable.

– En pratique, que va faire l'assassin désigné par le sort ?

– Il va presque certainement se glisser dans la cour et tenter d'accéder à ma chambre par l'extérieur pour ne pas se faire repérer. Ils le font tous. Or les fenêtres de l'étage sont hermétiquement closes sauf celle qui donne sur l'escalier de service. Celui-ci conduit aux chambres des domestiques vers le haut et au vestibule en redescendant, c'est-à-dire au pied de l'escalier si artistiquement rendu impraticable par notre ami Ellery. Cela promet d'être amusant.

– Tous participent à ce jeu pour la première fois ?

– Bien entendu, sinon ce serait trop facile, ils sauraient les erreurs à ne pas commettre. Par ailleurs cela me permet de varier les personnages. A l'exception de Holmes, l'archétype du genre, de Poirot, incontournable, et de Queen qui, selon l'heureuse expression d'Anthony Boucher, est « *le* roman policier américain », je cherche à renouveler les participants. Par exemple, la dernière fois, en plus des trois précités, nous avons eu maître Perry Mason, le Sgt Lloyd Hopkins, Nestor Burma, Miss Marple, l'inspecteur Wexford et Nigel Strangeways. C'était très réussi. Une autre fois j'ai eu le juge Ti et Charlie Chan en même temps, j'en ai profité pour faire un dîner chinois.

– Et une fois parvenu ici, que fait le meurtrier ?

– Il doit se livrer au simulacre de me tuer avec l'arme désignée par le sort, et repartir pour disposer trois indices dans la maison, visibles mais subtils. Par exemple, si l'assassin est Sam Spade, le héros du *Faucon maltais,* pas question de laisser traîner un as de pique, trop facile ! Mieux vaut cacher quelque part un chaperon de fauconnerie. S'il s'agit de Nero Wolfe ni orchidée ni canette de bière, mais plutôt une peau de serpent pour rappeler sa première aventure, *Fer de Lance.* Vous comprenez ?

Je comprenais surtout que j'allais faire piètre figure au milieu de tous ces spécialistes. Heureusement que je ne participerai pas au jeu, j'aurais été nulle. Avouons-le, réflexion et déduction ne sont pas mon fort, il est vrai que j'avais été agent d'action, pas spécialiste du contre-espionnage.

– Vos invités parviennent-ils toujours à déchiffrer ces énigmes ? D'accord *ace of spades* signifie as de pique, mais je n'ai jamais entendu parler d'une bestiole nommée fer de lance...

– C'est une variété de vipère. Oui, ils y arrivent, mais cela peut durer deux ou trois heures. C'est le moment le plus passionnant où les intelligences et le savoir s'affrontent. Moi, j'adore. Vous, Carol, il vous faudra faire preuve de patience. Toutefois, aujourd'hui, cela pourra aller assez vite si Sherlock Holmes est du côté des limiers, c'est un homme exceptionnellement brillant.

J'en étais déjà convaincue.

Chapitre 3

16 janvier - 21 h 30

L'entrée d'Ellery Queen nous fit sursauter, nous n'attendions pas le « meurtrier » si tôt, et aucun bruit ne nous avait averties de son arrivée. Il était entièrement vêtu d'un collant noir, à la manière des rats d'hôtel, et portait des gants et des chaussures de caoutchouc. Il nous fit un petit signe amical en entrant, puis referma doucement la porte derrière lui. La chambre était dans la pénombre, mais la lumière de la veilleuse permettait d'apercevoir le poignard posé sur la table de nuit. Queen s'avança et s'en saisit, je lui fis signe d'essayer si le mécanisme fonctionnait bien. Il s'exécuta de bonne grâce en appuyant la pointe de l'arme sur le marbre de la table : la lame s'escamota aussitôt dans le manche. Je jetai un coup d'œil sur le visage de June, elle souriait, ce n'était sans doute pas Ellery qu'elle soupçonnait de mauvaises intentions.

Le simulacre de meurtre eut lieu et June nota

l'heure exacte à laquelle le poignard la frappa. Queen avait mit vingt-deux minutes pour parvenir à ses fins, ce qui était un excellent temps d'après ce que m'avait déclaré notre hôtesse. Il glissa le poignard dans une poche placée le long de sa cuisse et se dirigea vers la porte. Au dernier moment, il me fit signe de le rejoindre en posant un doigt sur ses lèvres et sortit.

J'interrogeai June du regard, elle eut un geste d'ignorance. Je me glissai hors de la chambre dans l'obscurité du couloir, pour tomber dans les bras d'Ellery. Avant que j'aie eu le temps de réagir, il m'avait écrasée contre lui. Sa bouche s'empara de la mienne et sa main se glissa sous ma robe remontant jusqu'à mon entrejambe pour une caresse aussi précise qu'habile. Dès que je commençai à le repousser, il me lâcha et disparut dans l'obscurité avec un petit rire. J'étais furieuse et stupéfaite. Furieuse de m'être laissée surprendre, mais surtout stupéfaite car, en quelques secondes, il avait réussi à éveiller en moi ce qu'aucun homme n'était parvenu à faire depuis au moins quinze ans. Seule une main de femme a la douceur et l'habileté nécessaires, du moins je le croyais. Je restai appuyée un instant contre le mur du couloir, le temps de retrouver mon calme.

– Que voulait-il ? me demanda June une fois que j'eus réintégré la chambre.

– Me voler un baiser.

– Oh ! le chenapan, il adore les femmes et compte

d'innombrables conquêtes. A trente-six ans, il est toujours célibataire ce qui, joint à sa fortune personnelle, attire les filles autant que son charme. Il a brisé je ne sais combien de cœurs, et poussé au désespoir une génération entière de « chercheuses d'or ». D'après ce que le Sgt Bryant m'a dit de vous, cela ne doit pas vous intéresser beaucoup.

Nicole avait été trop bavarde, elle n'avait pas besoin de raconter à tout le monde que j'étais homosexuelle. Sans doute avait-elle été choquée par ma liaison avec Sue Ann, les flics sont toujours rétrogrades.

– Je ne suis certainement pas à la recherche d'un mari, répondis-je sans me compromettre.

En attendant, je gardais un chien de ma chienne à Mr Queen, s'il croyait pouvoir me trousser comme une gamine de *high school*, il se trompait et n'allait pas tarder à s'en apercevoir. Sale machiste, va !

Le gong me fit sursauter, la deuxième partie de la murder party allait commencer. Je consultai ma montre, 21 h 57, Queen avait fait vite pour disposer ses indices, retourner se rhabiller dans sa chambre puis prévenir Pete que tout était terminé. Décidément, c'était un rapide en tout.

Nous étions maintenant réunis dans le salon, les détectives avaient d'abord déblayé le bric-à-brac disposé par Ellery dans l'escalier, sauf Kay qui se contenta de les regarder faire, puis ils avaient examiné les « lieux du crime ». Je les avais observés depuis le balcon du premier étage, avant de retourner auprès de June dans sa chambre. Durant tout ce temps, elle était restée étendue à plat ventre sur son lit, comme morte, et le Père Brown se signa en la découvrant ainsi. Ils ne purent constater rien d'autre que la disparition du poignard.

— Mes amis, vous avez maintenant une heure pour interpréter les indices et découvrir le coupable, dit-elle une fois revenue à la vie. Si quelqu'un trouve la solution plus tôt, qu'il l'inscrive sur une feuille de papier et la place dans une enveloppe à son nom avant de la remettre à Carol. Vous en trouverez là, sur cette table de bridge. Si personne n'a réussi au bout d'une heure, nous jouerons les prolongations autant qu'il le faudra. Vous pouvez naturellement vous poser toutes les questions que vous voudrez les uns aux autres et parcourir la maison si nécessaire. Je vous rappelle que seul le meurtrier a le droit de mentir. Des questions ?

Sherlock Holmes se leva et alla à la table tracer quelques lignes, puis mit la feuille dans une enveloppe et vint me la donner sous le regard ébahi de ses collègues.

— Une inspiration divine, dit le petit prêtre, je ne vois pas d'autre explication possible.

Kay Scarpetta secoua la tête.

— N'oubliez pas que le coupable peut mentir, Mr Holmes n'a peut-être d'autre but que de détourner les soupçons de lui-même. Qu'avez-vous fait au cours de la dernière heure, Holmes ?

– J'ai lu quelques pages d'*Hyperion*, le poème de Keats. Rien d'autre, madame.

– Et en montant à l'étage jusqu'à la chambre de June, vous avez découvert les trois indices et compris leur sens ?

– Oui, madame.

– Ça va trop vite pour moi, m'sieur Holmes, dit Columbo en se grattant le dessus de la tête. Vous êtes une grosse tête, moi je suis juste un petit flic de la côte Ouest et je ne sais vraiment pas qui peut être coupable. Mais j'ai remarqué un ou deux petits détails, je propose qu'on en discute ensemble puisque m'sieur Holmes a déjà trouvé.

– Moi aussi, j'ai vu une ou deux choses suggestives, dit Ellery Queen. Je suis d'accord avec vous, lieutenant, pour qu'on en parle, il est inutile de nous faire des cachotteries maintenant que Holmes a déjà proposé une solution.

– Hercule Poirot commence lui aussi à avoir une idée du coupable, dit le Belge, mais elle est incomplète et il n'est pas hostile à un débat d'où surgira la lumière.

– Dans ce type de jeu tout repose sur les indices matériels, dit le prêtre. Sans doute Mr Holmes a-t-il déjà compris, moi je suis handicapé parce que ce n'est pas un vrai meurtre. Je ne peux pas me glisser dans la peau du criminel, devenir lui, ici il s'agit d'un simulacre qui obéit seulement à l'intellect de

51

son auteur. C'est Philo Vance qui aurait aisément pu résoudre cette énigme, un esprit mathématique, snob, abstrait, pas moi. Je passe la main.

– Qu'avez-vous fait durant la dernière heure, mon Père ?

La grosse voix du commissaire Maigret me fit sursauter, j'avais un peu oublié le Français. Il prononçait *ze* tous les *the* avec une louable application, j'ignore s'il était réellement étranger mais son accent était prononcé. Le père eut l'air peiné de cette question, comme si la réponse était tellement évidente qu'il était malséant de la poser.

– Je priais, mon fils.

– Quelqu'un a-t-il quitté sa salle d'attente, si je puis m'exprimer ainsi ? reprit le gros homme.

Quatre mains se levèrent : Queen, Columbo, Marlowe et la femme.

– Les cellules grises d'Hercule Poirot pensent, elles ne déambulent pas, déclara le petit homme avec solennité tout en tirant sur la pointe de ses moustaches. Peut-être le Dr Scarpetta pourrait-elle nous dire pourquoi elle a cru bon de changer de sous-vêtements ?

Kay parut choquée et piqua un fard qui me fit glousser intérieurement. Le bombé de sa poitrine trahissait maintenant un soutien-gorge à balconnet, quand même pas un *Wonder Bra,* elle n'en avait pas besoin, soyons honnête. J'étais sûre qu'elle s'était glissée dans sa chambre pour améliorer sa silhouette grâce à cet accessoire et mieux lutter contre mes gros lolos. Dès qu'une fille fait 95 C, les autres ressemblent à des planches à repasser, même si elles font un honorable 90. C'était à mourir de rire ! Ce vieux cochon de Poirot avait l'œil, et dire qu'il affectait de nous ignorer : décidément tous ces gens-là étaient observateurs. Bien sûr, j'avais remarqué le changement, mais je suis une femme, je dirai même une rivale, c'est différent.

– Problème technique typiquement féminin, Mr Poirot, rien à voir avec le présent jeu. J'ai effectivement quitté la petite pièce qui m'avait été assignée et, par la cour, j'ai gagné le bâtiment où est située ma chambre. En chemin j'ai cru entr'apercevoir une ombre qui se dirigeait vers les communs, mais je ne pourrais en jurer, la nuit est trop noire. Je me suis changée et suis revenue, c'est tout.

– C'est moi qui suis allé vers les communs, dit Ellery avec hardiesse. Le meurtrier aurait pu vouloir escalader le petit appentis qui jouxte le bâtiment principal, puis grimper sur la terrasse faisant face à la chambre de June et, de là, tenter de parvenir dans l'aile de la maison où est située sa chambre. En fait, je me suis rendu compte que ce serait impossible par une nuit sans lune comme aujourd'hui, il y aurait trop de risques de se casser le cou dans l'obscurité.

– Moi, je suis allé fumer la pipe dehors, dit Marlowe. J'ai vu le Dr Scarpetta se diriger vers sa chambre, elle en est revenue au bout d'une dizaine de minutes. Elle marchait posément, sans chercher à se dissimuler. Je n'ai aperçu personne d'autre et, de l'endroit où je me trouvais, je ne pouvais apercevoir l'appentis dont parle Queen.

Tout le monde se tourna vers Columbo.

– Durant l'après-midi, j'avais fait le tour de la maison pour savoir comment je pourrais y pénétrer discrètement si le sort me désignait. Il suffit de suivre le couloir jusqu'à l'escalier, mais Queen l'avait rendu impraticable. De toute façon, je me doutais que des collègues l'auraient surveillé si son accès avait été libre, car c'est la voie directe pour atteindre la chambre de June. Alors, j'ai repéré une fenêtre du second étage qui reste toujours ouverte, m'a appris la femme de chambre. Une escalade aisée, même par une nuit sans lune, il faut seulement dresser une échelle qui est posée à terre le long de la façade et monter jusqu'à une petite terrasse. Là on tire l'échelle sans bruit et on recommence l'opération jusqu'à cette fenêtre du second. Facile. Je suis allé m'asseoir près de l'échelle et j'ai attendu, bien persuadé que j'allais surprendre le criminel, mais personne n'est passé par là. J'ai été déçu. Dans la position où j'étais, je ne pouvais voir ni Marlowe ni Queen, en revanche j'ai aperçu Ms Kay qui traversait la cour, à l'aller et au retour, d'un pas posé comme l'a précisé Philip.

– Intéressant, dit Poirot, encore que rien ne prouve que vous n'ayez pas vous-même utilisé cette échelle et cette fenêtre ouverte, mon cher Columbo, ce qui expliquerait que vous n'ayez pas aperçu le coupable, puisqu'il ne serait autre que vous. Sinon, par où est passé le meurtrier ?

– Je crois pouvoir répondre à cette question, dit encore le lieutenant. Quand le gong a résonné, avant de monter à la chambre de June, j'ai fait le tour du rez-de-chaussée, vous étiez alors occupés à retirer les derniers obstacles installés par Queen. Une fenêtre du rez-de-chaussée de l'aile ouest était entrouverte, le coupable a pu faire le tour des bâtiments et passer par là.

– Peut-être, mais cela l'a ramené dans le vestibule, et il a alors fallu emprunter l'escalier où seul un chat aurait pu passer, intervint Kay. Ne me dites pas qu'il se sera hissé le long de la rampe, l'inclinaison du marbre la rend beaucoup trop glissante. C'est impossible, cette voie ne conduit pas à la chambre de June, mais directement sur la table d'opération d'un orthopédiste.

– Je ne suis pas médecin, m'dame, mais je m'en suis rendu compte, j'ai essayé, reconnut Columbo en se frottant la hanche. Oh ! rien de grave, une glissade ce matin pendant que vous preniez tous votre petit déjeuner. J'aimerais qu'on discute de quelques détails que j'ai remarqués.

– Vous voulez parler, entre autres, de cette édition de *Hamlet* qui se trouve maintenant sur une marche de l'escalier et n'y était pas quand Queen a achevé son petit ménage ? demanda Poirot.

– Ah ! vous l'avez repérée aussi, dit le lieutenant, admiratif. Je ne vous ai pourtant pas vu y jeter un coup d'œil. Il s'agit certainement d'un indice, mais qui désigne-t-il ?

– Un être faible, un personnage shakespearien, un prince du Danemark ? proposa Ellery en regardant Poirot.

– Je ne suis pas Danois mais Belge, et Hamlet n'a rien d'un Hercule, mon bon Queen, repartit le petit détective, inutile de me fixer ainsi. Je ne vois pas qui parmi nous... Vous avez trouvé immédiatement, Holmes ?

– Élémentaire, mon cher Poirot.

Notre Sherlock me stupéfiait de plus en plus, il n'avait rien à envier à l'original. Moi qui connaissais le coupable, je ne voyais pas le moindre rapport possible entre Ellery et le triste héros de Shakespeare. Soudain l'idée saugrenue d'El en prince du Danemark cherchant à trousser Ophélie me traversa la tête et je ne pus m'empêcher de pouffer. Heureusement, personne ne s'en aperçut.

– Qu'avez-vous remarqué d'autre, messieurs ? demanda Marlowe.

Tiens, je croyais qu'il dormait celui-là. Jusqu'à présent il n'avait guère manifesté d'intérêt pour l'énigme.

– Je pense que nous avons tous aperçu, sur la troisième marche, un poignard fiché dans une casquette telle qu'en porte Holmes, dit le Père Brown. C'était le couteau truqué que nous a présenté notre hôtesse au début du jeu, je me suis assuré que la lame s'escamotait. Quant au couvre-chef, il est trop évident pour désigner Holmes, les indices doivent être subtils, n'est-il pas vrai, June ?

– Tout à fait, mon Père, une telle casquette ne peut en aucun cas faire accuser notre ami Sherlock, pas plus qu'un pince-nez Ellery, ou un œil de verre le lieutenant Columbo. En revanche, ce même œil de verre aurait pu dénoncer Perry Mason s'il avait été parmi nous, car un de ses ouvrages les plus célèbres, *The Counterfeit Eye*, repose sur l'échange de deux yeux artificiels, comme vous le savez tous.

Cette dernière remarque me parut insultante pour la néophyte que j'étais, mais je m'abstins de tout commentaire, trop occupée que j'étais à me faire oublier. En fait, je n'existais plus pour ces messieurs, seul Queen continuait à lorgner tantôt mes jambes, tantôt mon décolleté, à la grande fureur de Kay. Je m'amusai à faire tomber l'enveloppe que m'avait remise Holmes et je me penchai pour la ramasser, permettant à El de plonger son regard jusqu'à mon nombril.

– Merci, June. Il est donc établi que cette casquette a une autre signification qu'Holmes. Couplée avec un poignard, veut-elle désigner un de ses ennemis ? Mais le regretté Pr Moriarty n'est point parmi nous, que je sache, reprit le prêtre. J'avoue encore une fois mon incompétence, une flèche qui vole à travers un mur, un corps qui tombe vers le haut, voilà des mystères que je peux éclaircir, pas des énigmes aussi banales.

– Banales peut-être, mais qui peuvent titiller les

cellules grises d'Hercule Poirot, elles ont résolu cette dernière énigme, reprit le Belge, et m'ont déjà suggéré un coupable, comme je le disais il y a un instant.

– Qui donc ? demandèrent les autres d'une seule voix.

– Ellery Queen, bien sûr.

– Comment cela ? s'exclama l'intéressé, feignant la plus grande indignation. Quel rapport établissez-vous entre ce couteau, ce couvre-chef et moi ?

– Le rapport, c'est le film *Sherlock Holmes contre Jack l'Éventreur* dont vous avez écrit le scénario, mon cher. Vous en avez même publié une novellisation éponyme, si je puis me permettre d'accoler un mot savant à un barbarisme. On y trouve Holmes, la casquette, Jack l'Éventreur, le couteau, et Queen, l'auteur qui, s'il n'apparaît pas dans le film, joue un rôle dans le roman.

Tout le monde applaudit, sauf Ellery pour qui l'heure des aveux n'avait pas encore sonné.

– Cela se tient, reconnut-il, c'est astucieux même, mais ce n'est sûrement pas la seule explication possible. Et si nous en revenions à *Hamlet*, je ne suis point l'auteur de la pièce, que je sache, mon cher Poirot.

– Je crois avoir trouvé, dit Columbo, attirant tous les regards à lui.

Il commençait à m'impressionner, lui aussi, il payait aussi peu de mine que son modèle mais paraissait également doué. Et il était moins maniaque que le héros de la télé dont les tics m'étaient devenus à la longue insupportables.

– C'est encore vous qui êtes désigné, Queen, désolé. Je commence à penser que les choses tournent mal pour vous, mon vieux. Sous le pseudonyme de Barnaby Ross vous avez écrit quatre romans dont le détective était un vieil acteur shakespearien sourd qui se faisait appeler Drury Lane, du nom du fameux théâtre. Si mes souvenirs sont exacts, il vivait dans un château, face à l'Hudson, nommé Hamlet.

Nouveaux applaudissements auxquels se joignirent ceux d'Ellery, beau joueur.

– Je sens ma position s'affaiblir, reconnut El. Mais pour pouvoir m'accuser, encore faut-il découvrir le troisième indice, ajouta-t-il une fois le silence revenu.

Cette fois personne ne répondit.

– C'est exact, dit June McNally, tous les indices doivent être découverts et expliqués.

– Moi, je sais, ou plutôt j'ai compris, déclara Philip Marlowe à la surprise générale.

– Vraiment ? dit Queen.

– En fait, il n'y a pas de troisième indice à proprement parler. Il consiste dans le fait qu'Ellery ait rendu impraticable l'escalier pour tout autre que lui. L'apparent désordre des objets cache un chemin possible seulement pour celui qui en est l'auteur. Par exemple, les tisonniers et les pincettes paraissaient prêts à choir au moindre frôlement, mais sur le côté gauche de l'escalier il existait une trouée à une distance d'un bras de la rampe, ce qui permettait de la repérer dans l'obscurité. Je pense que si Mr Holmes a trouvé la solution si vite, c'est qu'il a compris l'intention de Queen à la minute même où il a commencé à réaliser son barrage.

– Exact, dit Holmes.

Nouveaux applaudissements encore plus nourris. Ce Philip Marlowe devait être moins rat de bibliothèque que les autres, mais il savait observer et réfléchir.

– En revanche, ce que je ne comprends pas, reprit Marlowe, c'est comment Queen savait déjà qu'il était désigné. Le tirage au sort venait d'avoir lieu et June nous avait interdit de déplier nos bouts de papier.

– Mes amis, je m'avoue battu, reconnut Ellery, vous avez déjoué tous mes petits pièges. Au moment de glisser ce papier dans ma poche, mon cher Philip, je l'ai approché de la flamme d'un des candélabres et j'ai aperçu une marque par transparence, c'était donc celui de l'assassin, tous les autres étaient blancs nous avait dit June. C'est à ce moment-là que j'ai eu l'idée du désordre de l'escalier qui me désignait très précisément car j'avais utilisé cette astuce pour confondre une criminelle dans l'une de mes nouvelles en 1946. Carol, pouvez-vous nous lire les lignes tracées par Holmes ?

Je fus surprise par la demande, tant je me sentais extérieure au groupe. J'ouvris l'enveloppe et lus : tout y était, jusqu'au titre du court récit de Queen, *The Adventure of the Dead Cat.* J'étais stupéfaite,

Holmes avait tout découvert en quelques minutes à peine, ce type était un observateur extraordinaire doublé d'une encyclopédie vivante !

Mrs McNally déclara Sherlock Holmes vainqueur et sonna Dolores pour qu'elle apporte le champagne. Tout le monde se leva pour entourer et féliciter l'hôte de Baker Street, et Poirot y alla de son compliment.

– Ils sont très forts, dis-je en aparté à June, même Marlowe que je croyais un peu largué. Seuls Kay et le Français n'ont rien trouvé.

– Eux, ce n'est pas tout à fait la même chose, me répondit-elle. Quant à Philip, il m'a surprise, ce garçon est plein d'imprévu. Queen contre Holmes, c'était idéal, Columbo n'aurait pas été mal non plus dans le rôle de l'assassin, c'est un fin connaisseur.

Dolores, aidée de Pete, versa cérémonieusement du champagne français à tout le monde, Ellery en profita pour se rapprocher de moi.

– J'espère que vous n'êtes pas morte d'ennui devant cet assaut d'érudition, voire de cuistrerie, belle Carol ?

– June m'a dit que vous ne comptiez plus vos conquêtes, Mr Queen.

– Oh ! si vous recommencez à m'appeler monsieur, à défaut de meurtre il y aura un suicide ici.

Ce fut dit d'un ton si comique que j'éclatai de rire.

– Il doit y avoir des juristes parmi nous, Ellery :

harcèlement sexuel et tentative de viol, ça va chercher dans les combien ?

Il se pencha à mon oreille et souffla :

– Laissez-moi aller jusqu'au bout du viol et vous n'aurez plus envie de porter plainte.

Puis il s'esquiva prestement pour aller rejoindre le groupe formé autour de notre hôtesse avant que j'aie eu le temps de réagir. Le roué... il savait bien que je ne pouvais le poursuivre pour lui administrer la paire de claques qu'il méritait. Seule consolation, l'œil noir de Kay que je sentais posé sur moi. Je lui adressai un clin d'œil ironique et allai tenir compagnie au petit prêtre qui souriait béatement dans son coin.

– Votre verre est vide, mon Père, voulez-vous que j'aille vous en chercher un autre ?

– Grand merci, non. Ce Bollinger était un délice, mais je ne dois pas me retrouver dans les vignes du Seigneur pour citer le titre d'une vieille pièce du Boulevard français.

Là, je ne suivais plus. Je changeai de sujet.

– Je préfère les vins américains, je trouve que la réputation des vins français est pur snobisme. D'ailleurs, en général je n'aime pas ce qui est étranger.

– Nous sommes tous les enfants de Dieu, je ne puis vous approuver de parler ainsi.

Je me trouvai aussitôt embarquée dans une interminable conversation philosophico-politique dont je ne savais plus comment sortir. D'autant que ma philosophie personnelle, à savoir que celui qui tire le premier a raison, s'accommodait mal de l'idéalisme du naïf prêtre. Cette fois, je vis arriver Ellery avec soulagement car il me tira des paraboles incompréhensibles de Brown.

– June vous réclame, ma chère Carol, pardonnez-moi de vous l'enlever, mon Père. (Puis, tout en me ramenant vers notre hôtesse, il ajouta à mi-voix :) Me laisserez-vous entrer si je frappe à la porte de votre chambre tout à l'heure ?

– Oui, mon cher Ellery, et là je vous émasculerai et je vous étranglerai. Ce sera de la légitime défense, lui répondis-je sur le même ton.

Kay s'approcha de nous en compagnie de Marlowe.

– Ne pensez-vous pas que notre amie, lui dit-elle en me désignant, pourrait personnifier une parfaite Skip Langdon lors d'une prochaine murder party ?

– Connais pas, répondit-il laconiquement.

Je me doutais qu'il s'agissait d'une vacherie, mais j'étais aussi ignorante que lui. J'entraînai Ellery un peu plus loin, tant pis s'il prenait cela pour une avance.

– Qui est cette Skip Langdon ?

– L'héroïne des romans de Julie Smith, une détective douée, mais physiquement c'est un cageot. Trop grande, trop grosse, la grâce d'un hippopotame, j'ai grand peur que Kay n'ait pas pour vous les mêmes yeux que moi, belle Carol.

« On se retrouvera, ma petite », songeai-je.

La soirée se prolongea jusqu'à près de une heure

du matin, Poirot et Queen firent assaut d'esprit, June paraissait bien s'amuser, moi je m'emmerdais, le gros Français aussi, je crois qu'à la fin il s'endormit. Kay, qui avait trop bu de champagne et était un peu pompette, entreprit de vamper Columbo peut-être poùr rendre jaloux El. Échec des deux côtés, pourtant elle fit très fort en renversant son verre sur son décolleté et en demandant au lieutenant de lui éponger les seins ! Il était peut-être fidèle à la fameuse Mme Columbo, après tout ? Enfin on se sépara, je montai avec June et visitai soigneusement sa chambre et la salle de bains, il n'y avait rien de suspect, aucune mygale dans la baignoire, pas de cobra sous les draps ni de bombe dans la chasse d'eau et le bain de bouche n'avait pas été remplacé par du curare ou de l'acide sulfurique. Avec ces dingues des vieux polars, on pouvait s'attendre à tout ! La fenêtre était fermée et j'entendis le verrou tourner derrière moi. Mrs McNally n'avait plus rien à craindre.

Ellery m'attendait devant la porte de ma chambre et j'aperçus du coin de l'œil Kay Scarpetta qui nous observait depuis le bas de l'escalier. Nous allions rire. Il m'enlaça dès que j'arrivai à sa hauteur, je le laissai m'embrasser puis me dégageai :

– Pas ici, on nous regarde.

Il me lâcha et me suivit dans la chambre pour revenir à l'assaut dès la porte refermée. Cette fois, il utilisa une technique différente et glissa ses mains dans mon décolleté pour faire jaillir mes seins hors des bonnets, puis, tandis qu'il m'embrassait il titilla et pinça les mamelons du bout des ongles. Encore une fois, je sentis le désir m'embraser, ce type avait des doigts de fée. Coincée contre la porte, il m'était difficile de me défendre à moins d'abîmer réellement le pauvre garçon. Je m'abandonnai dans ses bras et amorçai un mouvement tournant vers le lit, il suivit, prêt à m'y culbuter, ses lèvres toujours collées aux miennes. Soyons sincère, être embrassée par lui n'était pas désagréable, sa langue avait l'agilité d'un serpent.

Un instant, j'eus la tentation de céder, mon corps me trahissait, mais je me repris et, d'une classique prise de judo, j'envoyai Queen par-dessus mon épaule. Il atterrit sur le lit, en une seconde je fus sur lui, mon genou écrasant ses parties, et le tranchant de ma main appuyé sur sa gorge. Mes seins nus jaillissaient de ma robe au-dessus de lui, pourtant, en cet instant, il ne songeait guère à mater, la douleur déformait son visage.

– Maintenant vous sortez, Ellery, sinon j'appuie.

Il fit signe qu'il avait compris. Je me redressai et rajustai mon vêtement. Il se leva péniblement, l'entrejambe douloureux, et pourtant je n'avais pas appuyé fort.

– C'est vrai que vous êtes un chat sauvage, Carol, je n'ai jamais rencontré quelqu'un comme vous. Voulez-vous m'épouser ?

Je lui montrai la porte.

Chapitre 4

17 janvier - 4 h 31

Je me réveillai en sursaut, le corps inondé de sueur.

J'allumai et, devant moi, je vis la commode se déplacer latéralement en glissant, un peu à la manière d'un serpent. Puis la glace de la coiffeuse explosa en même temps que les vitres de la chambre et celles de la salle de bains. Une pluie d'objets s'abattit sur le sol, tout ce qui se trouvait sur la commode, mais aussi le contenu de l'armoire dont les portes s'étaient ouvertes, et une lézarde s'ouvrit dans un mur tandis qu'une horrible angoisse m'étreignait.

« Un tremblement de terre », pensai-je.

Un portrait de notre hôtesse se détacha du mur et exécuta un impeccable looping avant de venir s'écraser contre la porte. Je sautai du lit et enfilai des baskets pour éviter de me taillader les pieds sur les centaines d'éclats de verre qui jonchaient le sol.

J'avais le cœur au bord des lèvres et je me sentais envahie d'une panique sans nom, c'était ma première expérience de ce type de phénomène. Je n'eus pas le temps de nouer les lacets de mes chaussures que la lumière s'éteignit, l'électricité était coupée. Ma dernière vision fut celle du lustre qui oscillait dangereusement au centre de la pièce et menaçait de me tomber sur la tête. Le pire était la sensation de terreur qui formait une boule d'angoisse au niveau de mon plexus solaire. Je ne l'avais jamais éprouvée, même au cours des combats les plus dangereux, sous le feu de l'ennemi. L'impuissance face à une force qui nous dépasse, sans doute.

Il me fallait sortir, la maison pouvait s'écrouler d'un instant à l'autre. Je me dirigeai au jugé vers la porte-fenêtre, j'entendais les éclats de verre se briser sous mes pas, heureusement que j'avais pu enfiler ces chaussures, sinon j'aurais eu les pieds en sang. J'ouvris et me précipitai sur la terrasse : une vive sensation de froid me saisit aussitôt. Je portai seulement pour dormir un T-shirt orné de la tête de Droopy et je sentis la chair de poule envahir mes jambes et mes bras, mais pas question de revenir en arrière chercher un vêtement chaud. Il me fallait fuir, quitter cette baraque menacée de ruine au plus vite. Je ne pouvais sauter du premier étage, je me serai cassé quelque membre sinon le cou. J'avais remarqué la veille qu'une glycine au tronc épais et contourné grimpait jusqu'à mon balcon, la faible clarté des étoiles me permettait tout juste de l'apercevoir. Néanmoins, ce fut sans hésitation que j'enjambai le parapet et m'accrochai à une grosse branche, puis je basculai dans le vide. La première céda sous mon poids, mais je pus me rattraper aux autres au prix de quelques griffures et je me laissai glisser à terre. Je ne me sentais pas plus à l'abri pour autant, car il me semblait que le sol allait s'entrouvrir sous moi pour m'engloutir.

Une fois dans la cour, je courus vers son centre pour m'éloigner le plus possible des murs de la maison. J'aperçus la silhouette claire d'une femme qui avait eu la même réaction que moi et cherché refuge hors de sa chambre. Je me rapprochai. Kay était pieds nus, vêtue seulement d'une nuisette, les bras serrés sous la poitrine dans une futile tentative de se protéger du froid.

– C'est le *big one*, me dit-elle d'une voix blanche, nous allons tous y rester.

Elle voulait parler du « grand » tremblement de terre, celui où les eaux du Pacifique s'engouffreraient dans la faille de San Andreas et briseraient la Californie en deux avant de l'ensevelir au fond de l'océan. C'est la hantise de tous les habitants de ce pays, depuis que je ne sais plus quel Cassandre a écrit le célèbre bouquin, *We are the Earthquake Generation*, il y a bien vingt ans de cela.

– Je ne crois pas, Kay, il est très fort, au moins 5 ou 6 sur l'échelle de Richter, mais s'il s'était agi du *big one* tous les bâtiments se seraient effondrés.

– Espérons-le, c'est mon troisième depuis que je

vis à L.A. et je suis toujours aussi paniquée. Une chose est rassurante, je sais que le mari de June a préféré le tout électrique dans la maison, au moins il n'y a pas de risque d'explosion.

Elle avait raison, j'avais oublié que les dégâts provoqués par les fuites de gaz après de telles catastrophes naturelles sont au moins aussi importants que ceux du séisme lui-même. C'est ce qui avait provoqué l'incendie d'une partie de la ville de San Francisco en 1906. Nous en serions quittes pour nous geler et manger des repas froids tant que le courant ne serait pas rétabli, mais au moins la baraque ne sauterait-elle pas.

– La terre ne tremble plus, nous devrions nous rapprocher du pavillon des invités, reprit-elle. D'abord, je crève de froid, vous aussi sans doute, vous n'avez pas l'air beaucoup plus vêtue que moi. Et puis, je me sentirais plus rassurée si nous retrouvions les autres, l'instinct grégaire peut-être, dans les catastrophes naturelles l'animalité reprend vite le dessus. Tenez, il me semble en apercevoir deux ou trois vers le puits.

Elle devait avoir des yeux de chat, car je ne distinguai rien dans la direction qu'elle montrait, mais je la suivis. Intérieurement je ricanai, elle avait dû emporter une ou deux nuisettes affriolantes pour séduire Ellery et maintenant elle se retrouvait presque nue, par six degrés environ. Si elle n'était pas douée dans le choix de ses vêtements, en revanche elle avait bonne vue. En nous rapprochant, il devint possible d'entr'apercevoir trois silhouettes, puis une allumette fut grattée et sa lumière éclaira brièvement le visage de Maigret occupé à allumer sa pipe. Près de lui, je reconnus Holmes et Queen qui se précipita à notre rencontre.

– Vous n'avez rien, Carol ? Ni vous, Kay ? nous demanda Ellery avec une réelle inquiétude dans la voix.

– J'ai été jetée à bas du lit et je suis transie de froid, dit-elle, à part ça tout va bien.

– Moi, je m'en tire avec quelques égratignures car j'ai dû descendre du balcon de ma chambre le long de la glycine. Où sont les autres ?

– Je ne sais pas, c'est la pipe de Maigret qui nous a attirés, Holmes et moi, elle a fait office de phare quand le commissaire l'a allumée une première fois.

Ils étaient tous trois en pyjamas et ne devaient guère avoir plus chaud que nous.

– Nous ne pouvons rester là, déclara Queen. Quel intérêt d'échapper au tremblement de terre si c'est pour mourir d'une pneumonie ? Croyez-moi, je sais de quoi je parle, c'est ma partie.

– Il a raison, dit Kay qui grelottait de plus en plus.

Il donna l'exemple en reprenant la direction du petit bâtiment où ils logeaient depuis deux jours. Y pénétrer fut un soulagement, il faisait chaud bien que le noir absolu régnât. Finalement, le commissaire laissa la porte d'entrée ouverte afin qu'un infime soupçon de clarté puisse pénétrer.

– Nous devons tous avoir des lampes de poche

dans notre mallette du parfait enquêteur, dit Holmes. Je suggère que Maigret aille chercher la sienne à la lumière de son briquet puis elle nous permettra de récupér... Oooh !

La terre avait encore bougé sous nos pieds, l'impression fut atroce, je sentis mon corps partir d'un côté et mon estomac de l'autre. Il faut avoir expérimenté ce genre de phénomène pour comprendre ce que l'on ressent, descendre un grand huit à la fête foraine n'est rien à côté et sauter en parachute une vraie partie de plaisir. Un instant, je crus que j'allais m'évanouir et je cherchai vainement de la main un point d'appui, puis je sentis un bras se glisser autour de ma taille.

– Je suis là, Carol, me souffla Ellery à l'oreille.

Comment avait-il senti mon désarroi ? Mystère. Parvenir à discerner l'endroit où je me trouvais était déjà un exploit. J'avoue que je n'eus pas le courage de me dégager et je me laissai aller contre lui. Moi, si forte à l'ordinaire, j'étais anéantie sous l'effet de cette catastrophe naturelle contre laquelle je me sentais complètement impuissante. Le commissaire alluma son briquet et, un instant, nos trois compagnons m'aperçurent dans les bras de Queen. Je ne vis pas l'expression de rage de Kay mais je la devinai. Le gros homme s'éloigna et Ellery profita de l'obscurité revenue pour me serrer contre lui et chercher mes lèvres. J'étais si désemparée, si faible pour la première fois de ma vie d'adulte peut-être, que je m'abandonnai. Ses mains glissèrent sous le T-shirt, trouvèrent mes trésors cachés et je me sentis mourir. L'apparition de Maigret sortant de sa chambre une lampe de poche allumée me sauva.

Il la donna à Kay qui partit chercher la sienne avant de la passer à Holmes, tout en précisant :

— Je m'habille.

Ce fut enfin au tour d'Ellery de recevoir l'engin et il m'entraîna dans sa chambre à sa suite. Il récupéra d'abord sa propre lampe et rendit celle du commissaire, puis il ferma la porte et, sans plus attendre, arracha mon T-shirt. Je me laissai faire passivement, je n'avais pas envie de fuir, bien au contraire, je voulais trouver refuge dans ses bras, me sentir réconfortée par ses caresses. En une seconde, il était nu comme moi et nous roulions sur le lit ensemble, la terre trembla encore, je gémis et voulus me dégager pour trouver à nouveau refuge dehors. Il m'en empêcha et me maintint serrée contre lui, ses mains parcourant mon corps et s'insinuant partout. Ses doigts étaient merveilleusement légers et habiles, je ne tardai pas à gémir, alors sa bouche glissa de mes lèvres du haut à celles du bas. Il était aussi doué qu'une femme et je fus bientôt en feu, pour la première fois depuis bien des années j'eus envie d'être prise par un homme, de m'ouvrir pour l'accueillir. Il interrompit ses caresses un bref instant pour recouvrir un sexe de belle dimension, puis il me souleva par les hanches et m'empala sur lui. Je retrouvai des gestes oubliés et sentis l'excitation du désir croître en moi. Au moment suprême, je jouis avant lui. Cela ne m'était pas arrivé de parvenir à l'extase avec un homme depuis l'âge de vingt-deux ans. Nous restâmes comme morts dans les bras l'un de l'autre pendant quelques minutes, puis il me dit à voix basse :

– C'était merveilleux, mais nos compagnons nous attendent, il faut les rejoindre. La nuit prochaine nous appartiendra, ma chérie.

Je serais volontiers restée là, blottie contre lui, mais il avait raison. Je me détachai de lui, il prit sa lampe et passa à la salle de bains, je l'y suivis à regret. A mon retour Ellery était habillé, il me tendit un gros pull que j'enfilai par-dessus mon T-shirt, et le collant qu'il portait dans son rôle de meurtrier. Il était trop grand pour moi et je le serrai à la taille avec une ceinture.

Les autres étaient déjà réunis dans l'entrée, prêts bien avant nous, évidemment, mais l'apparition de Columbo retenait leur attention. Kay me lança néanmoins, mielleuse :

– J'aurais pu vous prêter quelque chose qui soit plus à votre taille, ma chère.

Holmes m'évita de répondre en demandant au lieutenant :

– Que vous est-il arrivé ?

– La trouille de ma vie, m'sieur, j'ai cru que le plafond allait me tomber sur la tête et j'ai couru dehors. Au bout d'un moment, je me suis calmé et le froid m'a ramené ici. Le pire est que je ne retrou-

74

vai pas la porte d'entrée du bâtiment, la nuit est si noire ! Où sont les autres ?

– Je ne sais pas, attendez...

Holmes s'approcha de la porte d'une des chambres et tendit l'oreille.

– Par exemple, voilà qui est fort.

Il ouvrit et nous aperçûmes Poirot qui ronflait paisiblement dans son lit. La lumière de nos lampes le réveilla en sursaut et il s'écria :

– Il est arrivé quelque chose ? tout en retirant des boules Quies de ses oreilles.

– Rien qu'un fort tremblement de terre, mon ami, répondit Holmes. Apparemment, ce n'est pas suffisant pour vous tirer de votre sommeil.

Poirot se redressa, il était vêtu d'une antique chemise de nuit pour homme et portait un appareil destiné à maintenir en place ses moustaches. Il détacha le nœud qui retenait ce curieux engin derrière sa tête et nous regarda, ahuri :

– Un tremblement de terre, réellement ?

– C'est insensé ! s'exclama Kay. Il était au moins de magnitude 6, regardez le miroir, les vitres de la fenêtre, ils ont volé en éclats.

Elle éclaira la pièce du pinceau lumineux de sa lampe, Poirot y jeta à peine un coup d'œil.

– Me permettrez-vous de m'habiller ? dit le petit homme avec componction, sans paraître autrement intéressé par les événements dramatiques auxquels il n'avait pas participé.

– Il est dingue, ce type ! nous dit le lieutenant

tandis que nous quittions la chambre. Qui manque-t-il encore ?

– June doit toujours être dans la maison, dis-je. J'espère qu'elle n'a pas été blessée. Les domestiques dorment au second étage, ils lui auront porté secours si besoin était. J'avoue que j'ai d'abord pensé à fuir, je croyais que la maison allait s'effondrer sur moi, de toute façon je n'aurais pu entrer chez elle, je l'ai entendu pousser le verrou en la quittant hier soir. Ah ! voici quelqu'un d'autre.

Une ombre s'approchait de la porte d'entrée, elle se fit plus distincte et je reconnus Philip Marlowe. Sa joue saignait, sa veste de pyjama était déchirée et il se tenait le bras droit.

– J'ai voulu m'éloigner de la maison trop vite, nous expliqua-t-il, et j'ai trébuché sur je ne sais quoi dans l'obscurité. J'ai bien peur de m'être démis l'épaule.

– Je vais voir ça, lui dit Kay, mais, à la lumière d'une lampe électrique, je ne pourrai rien faire de bon.

– Oh ! vous êtes réellement médecin ?

– Oui, pas orthopédiste malheureusement, mais je pense pouvoir me débrouiller quand même.

– Je l'aiderai, dit Ellery, je suis aussi de la partie.

– Voilà qui augmente nos chances de survie, observa Holmes. Qu'est devenu notre ami Brown ?

– C'est vrai ça, où est le petit curé ? s'exclama le commissaire. J'espère qu'il n'est pas blessé. Je ne l'ai pas entendu sortir de sa chambre.

A notre entrée chez le Père, il n'y avait personne et le lit n'était même pas défait.

– Nous retrouverons Brown plus tard, suggéra le lieutenant. J'ai un poste de radio à piles, je propose que nous cherchions une station de la région pour savoir ce qu'il s'est passé.

– Excellente idée, approuva Holmes.

Columbo revint bientôt avec son transistor et tourna les boutons jusqu'à ce qu'il tombe sur un bulletin d'information : « A 4 h 31, temps standard du Pacifique, ce lundi 17 janvier 1994, un tremblement de terre de 6.7 sur l'échelle de Richter a eu lieu dans la vallée de San Fernando, au nord de Los Angeles. Il a duré environ quinze secondes. L'épicentre du séisme était situé à Northridge où l'on compte de nombreuses destructions d'immeubles. Plusieurs autoroutes et échangeurs de Los Angeles se sont effondrés. A l'heure actuelle, on n'a aucune idée du nombre des victimes qui ne devrait cependant pas être trop élevé car les bureaux et la plupart des routes étaient déserts à cette heure de la nuit. Pour l'instant des milliers de personnes sont privées d'eau, de gaz et d'électricité. Prochain bulletin à 5 h 30 puis de quart d'heure en quart d'heure. Ici Greg Conklin qui vous parlait... »

Le lieutenant arrêta le poste.

– Il faut économiser les piles, elles ne sont plus neuves. Un séisme de 6.7, fichtre, pas étonnant que nous l'ayons senti passer ! Nous devons être à vingt-cinq kilomètres à peine de l'épicentre, ça aurait pu être pire.

– La faille de San Andreas passe au moins à cent bornes au nord-est d'ici, dit Marlowe. C'est surprenant que cette région ait été frappée.

– Elle l'avait déjà été voici une vingtaine d'années, lui répondit le lieutenant, il doit y avoir une autre faille dans le coin. En attendant, que diriez-vous de chercher le Père ? Kay et Queen pourraient essayer de vous examiner pendant ce temps, ajouta-t-il en regardant Marlowe. Vous ne m'avez pas l'air si mal en point que ça. Comme dit toujours ma femme, tant que l'os n'est pas perpendiculaire au bras, tout va bien. Je vous propose de nous retrouver ici pour le bulletin de 5 h 45.

– D'accord, dit Holmes.

Ellery m'avait passé sa lampe et je me retrouvai dans la fraîcheur nocturne. Toutefois, habillée comme je l'étais maintenant, cela pouvait aller. Ce qui m'avait le plus stupéfiée dans le communiqué radio était la durée du tremblement de terre : quinze secondes. J'étais prête à jurer que cela avait bien duré cinq bonnes minutes. J'avais lu une fois un article de vulgarisation sur la subjectivité du temps, c'était ahurissant comme ces quinze secondes avaient paru s'étirer pour moi. Je ne m'étonnais plus désormais de la violence du choc que j'avais reçu, tout s'était produit en une durée si faible que j'avais été beaucoup plus perturbée que si les événements s'étaient étalés dans le temps, me permettant ainsi de mieux récupérer.

N'exagérons pas, tout n'était pas imputable aux 6.7 de magnitude, Ellery m'avait embrassée et caressée avant et, même si je l'avais repoussé, mon désir s'était aussitôt éveillé. Plus tard, quand il m'avait entraînée dans sa chambre, je savais très bien ce qui m'attendait et j'étais consentante. Inutile de me raconter des histoires, j'avais envie qu'il me touche, qu'il m'amène à l'orgasme. C'est étrange, cela faisait des années que je ne pouvais plus accepter l'idée de sentir un homme contre moi, en moi, l'idée qu'il viole l'intimité de mon ventre, et, cette nuit, j'avais eu envie qu'il me prenne. Sans doute la panique m'avait-elle poussée à me raccrocher à un autre être humain. Pourtant, je ne ressentais rien pour lui, il était bel homme, intelligent, spirituel, et faisait divinement bien l'amour : c'était la description idéale de l'amant de passage, rien d'autre. Pas question de m'attacher, surtout à un mec !

Maigret, Holmes, Poirot et le lieutenant étaient partis chacun de son côté et, pour tout dire, j'étais restée sur place à rêvasser. Je me mis en chasse à mon tour, où pouvait bien être passé ce diable de curé ? – si j'ose m'exprimer ainsi. Je me dirigeai vers le garage, lui serait-il venu l'étrange idée de dormir dans sa voiture ? Avec ce personnage lunaire tout était possible. Il n'y avait rien, en revanche je découvris les voitures garées sur le parking extérieur endommagées, des tuiles s'étaient détachées de la toiture et avaient troué des pare-brise et cabossé des carrosseries. Seul le vieux tacot de Columbo était indemne car il avait pris la précaution de le rentrer. Mon Oldsmobile était mal en point, vitres explosées, je n'allais pas pouvoir repartir avec un véhicule dans cet état. L'ennui est que je ne devais pas être la seule dans ce cas et les garagistes allaient être débordés.

Je poursuivis encore mes recherches quelques minutes, en vain.

– Par ici ! Il est là.

J'entendis la voix de Holmes provenir des écuries, et je courus dans cette direction. Les lampes des autres convergèrent vers la porte d'entrée du bâtiment qui abritait deux chevaux, m'avait dit June. Elle montait l'un et, si aucun ami n'était là pour l'accompagner, Pete Keyhoe prenait l'autre. En approchant, j'entendis les bêtes hennir, elles devaient être complètement affolées par le séisme. Quand j'entrai, je vis Holmes occupé à les calmer, tandis que Poirot et Maigret étaient agenouillés auprès du prêtre. Brown était entièrement vêtu, un manteau passé par-dessus sa soutane, et il était allongé dans le foin, évanoui. Un licol s'était détaché et avait dû l'assommer dans sa chute.

– Que pouvait-il bien faire ici en pleine nuit, tout habillé ? demanda Columbo.

J'étais bien incapable de répondre à cette question mais, de la part du Père Brown, rien ne me paraissait invraisemblable. Aurait-il affirmé avoir été saisi par l'envie pressante d'aller évangéliser les chevaux que je l'aurais volontiers cru. Maigret le secoua légèrement et l'ecclésiastique ouvrit les yeux, il regarda, étonné, ces silhouettes obscures qui l'entouraient, cachées derrière leurs lampes électriques.

– Êtes-vous des anges ? nous demanda-t-il le plus sérieusement du monde.

– J'ai peur que non, mon Père, dit le commissaire. Vous êtes toujours l'invité de June McNally et non celui du Très-Haut, désolé de vous décevoir.

– Ah ! c'est vous, mes amis, vous m'aveuglez. Que m'est-il arrivé ?

– Un fort tremblement de terre s'est produit et vous avez reçu un licol sur l'occiput. Rien de grave. Mais que faisiez-vous là à 4 h 30 du matin ?

– Oh ! c'est très simple. J'avais été tellement mauvais au cours du jeu, tellement... inexistant, que je n'ai pas pu m'endormir. Le péché d'orgueil, bien sûr. J'ai d'abord tenté de trouver l'apaisement dans la lecture de mon bréviaire, puis j'ai décidé d'aller prendre un peu l'air. J'aime les animaux, je me sens bien auprès d'eux, aussi je me suis dirigé vers les écuries. En arrivant, j'ai entendu les chevaux hennir et remuer très fort, j'ai cru qu'ils avaient quitté leur box. Je suis entré pour voir et... c'est tout ce dont je me souviens.

– Les bêtes ont dû sentir venir le séisme quelques instants avant qu'il se produise, dit Columbo. C'est classique, ma femme dit toujours que les animaux sont beaucoup plus sensibles que nous aux phénomènes naturels.

Je me sentis saisie par-derrière tandis qu'on m'embrassait dans le cou. « Chut », murmura Ellery à mon oreille, et, pour pétrir mes seins, il glissa ses mains sous le pull qu'il m'avait prêté. Instinctivement, j'éteignis ma lampe comme si ce geste puéril pouvait empêcher les autres de nous voir s'il leur prenait la fantaisie de se retourner. En revanche, je ne fis rien pour me dégager.

– Marlowe ? demandai-je à mi-voix.

– Ce n'est rien, Kay suffit pour s'en occuper. L'obscurité commence à se dissiper et j'ai pu venir jusqu'ici sans lampe. Je voulais te dire quelque chose.

– Quoi ?

– Que j'ai envie de toi et que je veux t'épouser.

– Idiot !

Malgré tout, j'étais flattée. Il ne pouvait s'en douter, mais c'était la première fois qu'on me demandait en mariage, et pour cause... Alors, je me laissai aller contre lui et il m'embrassa. Du coin de l'œil, je vis Holmes qui nous observait, qu'il pense ce qu'il voulait, après tout Ellery et moi étions largement majeurs tous les deux. Peut-être allait-il en déduire que j'en avais assez du célibat, ou que j'étais moi-même une « chercheuse d'or », je gloussai à cette idée, mais notre Sherlock était trop malin pour s'arrêter à des conclusions aussi banales.

Soutenu par Maigret et Columbo, le Père Brown regagna le pavillon des invités où Kay avait achevé de soigner Philip Marlowe. Elle enchaîna avec la

bosse du prêtre et, après l'avoir désinfectée, l'endui-
sit de pommade.

– Au suivant, dit-elle quand elle eut terminé, ce
qui nous fit rire.

Le lieutenant était allé chercher sa radio et la
ramena dans la chambre du prêtre qui s'était allongé
sur son lit pour se reposer. Le speaker répéta
d'abord les informations que nous avions déjà
entendues puis ajouta : « A l'heure actuelle, on
déplore une cinquantaine de morts et entre mille et
deux mille blessés. Plus de dix mille maisons et édi-
fices ont été gravement endommagés et leurs habitants ont dû être évacués. La police patrouille dans
les rues pour éviter les scènes de pillage. Certaines
autoroutes se sont effondrées jusqu'à trente-deux
kilomètres de l'épicentre du séisme et onze des principales voies d'accès à Los Angeles sont fermées. La
terre a remué avec une force exceptionnelle, on a
enregistré des accélérations égales à 1G, aussi bien
verticales qu'horizontales, c'est ce qui explique
l'étendue des destructions dans une zone où, depuis
le séisme de 1971, toutes les constructions étaient
supposées être à l'abri des secousses telluriques. Des
ruptures de canalisations ont amené des inondations
de caves et parkings et de nombreux incendies provoqués par le sinistre ont encore aggravé la situation... »

– C'est moche, dit Marlowe.

– Que Dieu leur vienne en aide, murmura le
prêtre.

– Nous nous en tirons plutôt bien, ajouta Kay. J'aurais pu avoir à monter un hôpital de campagne si, toutefois, j'avais eu la chance de ne pas figurer parmi les victimes.

Un bruit de course provenant de la cour nous fit taire. Nous vîmes arriver Pete, hors d'haleine.

– La patronne ne répond plus, s'écria-t-il, et sa chambre est fermée de l'intérieur. Pourriez-vous venir ?

– June ! Courons vite, elle a dû être blessée.

La voix du commissaire Maigret était altérée par l'inquiétude, je ne le savais pas si attaché à notre hôtesse.

Chapitre 5

La maison avait beaucoup souffert, tout ce qui était en verre avait explosé, des lézardes s'ouvraient dans les cloisons et la rampe de marbre de l'escalier était brisée en deux endroits. Fusils et carabines jonchaient le sol. Pis, aux yeux des collectionneurs qui m'accompagnaient : de nombreux volumes rares étaient tombés des rayonnages des bibliothèques, couvertures tordues, pages déchirées. Ellery ramassa avec un véritable gémissement de douleur un exemplaire du magazine *Black Mask* qui contenait, me dit-il, la première nouvelle de Dashiell Hammett. Ailleurs les cadres s'étaient détachés des murs et nous marchions sur des bibelots brisés dont certains devaient venir des antiquaires de la Cinquième Avenue. Il y en avait pour des dizaines de milliers de dollars de dégâts.

Dolores nous attendait devant la porte de Mrs McNally en compagnie de sa sœur Angela, que je n'avais pas encore eu l'occasion de rencontrer, à croire qu'elle ne quittait jamais sa cuisine. Bien que plus âgée de quelques années que la femme de chambre, elle avait meilleure allure, plus grande, plus mince, l'œil noir des Hispaniques.

– La *señora* ne répond toujours pas, dit Dolores à notre arrivée, le visage baigné de larmes. *¡ Que lastima !*

Nous étions tous là, y compris Marlowe et le Père Brown qui avaient tenu à nous accompagner. Il était inutile d'essayer d'enfoncer la porte, elle était en chêne massif, et Columbo demanda à Pete d'aller chercher une hache. Le régisseur attaqua le bois à hauteur de la serrure, au bout de quelques minutes d'efforts la porte s'ouvrit. Tout était noir à l'intérieur, mais on apercevait la lueur blafarde de l'aube par la porte ouverte de la salle de bains.

– Je vais entrer avec Carol, nous dit Kay. Je sais que June n'aimerait pas que ces messieurs la voient en tenue négligée.

Je pénétrai la première et balayai le sol de ma lampe électrique.

– Là, dis-je à Kay, en apercevant le corps de notre hôtesse étendu à terre.

Je m'approchai et me figeai. Le pinceau de ma lampe éclairait le manche d'un couteau qui dépassait du sein gauche de June. Une large tache de sang s'étalait sur sa chemise de nuit, le cœur avait dû être atteint. Elle étreignait encore un bougeoir, une bougie éteinte était tombée à ses pieds, l'autre avait

roulé jusqu'à la salle de bains. Kay eut un mouvement de recul et porta la main à sa bouche pour
étouffer un cri. Je la vis vaciller et crus qu'elle allait
se trouver mal au point que je lui saisis l'avant-bras
pour la retenir, mais elle parvint à se ressaisir.

– Je suis médecin, j'ai déjà vu des cadavres, me
dit-elle d'une voix altérée.

Elle écarta les éclats de verre qui jonchaient le sol
puis s'agenouilla près du corps pour l'examiner. Elle
se redressa en secouant la tête :

– June est morte, on l'a tuée,

Je me tournai vers les autres restés à la porte :

– Mrs McNally a été assassinée, leur dis-je. On l'a
poignardée. Attendez un instant avant d'entrer, je
vais m'assurer que personne ne se cache dans la
chambre.

Un murmure de stupéfaction horrifiée me répondit. J'entendis Poirot gémir :

– Oh ! non, pas un problème de chambre close.

J'examinai d'abord soigneusement la position du
corps, il était tombé aux deux tiers de la chambre
comme si elle se dirigeait vers la salle de bains. Je
regardai sous le lit, dans l'armoire, dans tous les
recoins puis visitai la salle d'eau. Kay me regardait
faire, ahurie par mon comportement. La vitre de la
fenêtre avait un énorme trou, insuffisant toutefois
pour laisser passer le corps d'un homme. De toute
façon, on ne pouvait ni entrer ni sortir par là car le
mur était dénué de toute végétation. La terrasse de
l'autre aile de la maison se trouvait à douze bons

mètres, pas question de sauter non plus. De surcroît, le corps était étendu dans la chambre, pas en face de l'ouverture provoquée par le séisme. C'était absurde, impossible...

– Il n'y a personne.

– Remarquable sang-froid, Miss Evans, fit la voix de Holmes depuis la porte. Si je puis me permettre une suggestion, je propose que nous fassions à tour de rôle une visite rapide du lieu du crime. Naturellement, ces dames resteront pour s'assurer que nous ne touchons à rien. Une fois le jour levé, nous reviendrons procéder à des recherches plus approfondies, sans lumière il n'est pas possible de se livrer à un examen convenable.

– Excellent, cher ami, approuva Poirot.

– Ne pensez-vous pas qu'il vaudrait mieux prévenir la police ? objecta Columbo avec quelque bon sens. Il ne s'agit plus d'un jeu où nous pourrons exercer notre sagacité.

– Certes, mais je doute fort que le téléphone fonctionne encore, repartit Holmes. Quant au poste de police le plus proche, c'est celui de Northridge, à l'épicentre du séisme, et le shérif doit être débordé.

– C'est vrai, vous avez certainement raison, néanmoins je vais voir s'il est au moins possible de signaler le meurtre.

Le lieutenant s'éloigna. Holmes avait analysé la situation avec sa maestria coutumière ; si quelqu'un devait résoudre l'énigme avant l'arrivée des flics, ce serait lui. En revanche, il était aussi dénué de compassion que son illustre modèle, et il devait en être de même pour la plupart des autres invités qui ne verraient dans ce crime que l'occasion de mettre enfin en pratique leurs talents de détective sur un cas réel. Seuls Kay, le prêtre et Maigret paraissaient sincèrement émus par la fin tragique de June. Pourtant elle était supposée être leur amie à tous...

Le Père Brown demanda à être admis le premier pour administrer les derniers sacrements à la défunte. J'ignorais qu'elle fut catholique. En règle générale je n'aime pas les papistes, pourtant, pendant les quelques heures où j'avais connu June, elle m'avait paru d'un commerce agréable. Peut-être la religion comptait-elle peu dans sa vie. Le Père alla s'agenouiller près du corps, il était pâle, le visage défait. Il fit un signe de croix au-dessus du front de June, puis récita une prière, en latin je crois, ensuite seulement il visita chambre et salle de bains sans toucher à rien. Holmes l'imita, me jetant un regard intrigué au passage, puis les autres firent de même, Columbo en dernier.

– Holmes avait raison, nous dit-il, plus rien ne fonctionne. Il faudra aller prévenir les autorités en voiture.

– Ce ne sera pas si simple, lieutenant, dis-je. Tous les véhicules ont été plus ou moins gravement endommagés sauf le vôtre. Il faudra vous dévouer si cet engin est encore en état de rouler.

Il eut un geste de la main, paume levée vers

l'avant, et, un instant, je crus avoir Peter Falk devant moi tant le mimétisme était parfait.

– Oh ! il est un peu capricieux, mais il roule, m'dame. De plus, il doit y avoir deux ou trois voitures dans le garage privé de June. Je vais demander à Pete d'aller voir si elles n'ont pas trop souffert. Après tout, les toitures ont perdu quelques tuiles mais ne se sont pas effondrées.

Il s'éloigna, me laissant seule avec Kay. Je vis qu'elle essuyait une larme furtive sur son visage.

– Vous êtes la seule avec... Brown et Maigret qui sembliez attristée par la mort de June. Les autres étaient-ils moins liés avec elle ?

Cela me gênait de continuer à nommer ces gens par le nom du personnage qu'ils représentaient, nous ne jouions plus. Mais comment faire autrement ? Je ne leur en connaissais pas d'autre. Je me promis de faire décliner son identité à Queen, il était ridicule d'avoir un amant prénommé Ellery !

– Oui, en ce qui me concerne, j'étais proche d'elle. Les autres, je ne sais pas, sauf pour l'un d'entre eux, mais vous devez être au courant.

Le regard qu'elle me jeta se passait de tout commentaire : une chose était sûre, la mort de notre hôtesse ne nous avait pas rapprochées.

– Holmes a raison, mieux vaut attendre qu'il fasse jour, reprit-elle. Quand le nègre reviendra du garage, je lui demanderai de garder cette porte.

– Pete est un Noir ? Sa peau n'est pas plus bronzée

que celle de n'importe quel Californien qui vit au soleil.

– Oui, mais son arrière-arrière-grand-mère était une négresse, ce qui lui fait un seizième de sang noir.

Elle avait raison, d'après la loi du trente-deuxième toujours en vigueur dans certains États du Sud, il suffit d'avoir un ancêtre noir sur trente-deux pour être considéré comme un nègre. Néanmoins, je trouvai un peu abusif de dénommer ainsi un homme à la peau blanche. Évidemment, je suis raciste comme tout Américain WASP digne de ce nom, mais j'avoue que les questions raciales me préoccupaient moins depuis ma liaison avec Sharon à New York. Elle avait vraiment la couleur de l'ébène, mais Dieu qu'elle me plaisait !

Le lieutenant proposa de monter la garde avec Angela devant la porte de la chambre de June en attendant le retour de Pete. Je les laissai et redescendis dans le grand salon où je retrouvai nos compagnons qui discutaient avec animation, non de la mort de notre hôtesse qui les laissait indifférents, ni du crime lui-même, mais de tous les problèmes de chambre close répertoriés par un certain John Dickson Carr.

– Dommage que le Dr Gideon Fell ne soit pas parmi nous, il aurait déjà tout expliqué ! s'exclama Ellery.

Il vit l'incompréhension se peindre sur mon visage et se détacha du groupe pour venir à moi.

– Le Dr Fell est l'un des deux héros des romans de Carr, m'expliqua-t-il gentiment, et il est spécialiste des chambres closes. Je vois avec plaisir que tu as repris des couleurs, Carol, cette nuit tu étais toute pâle.

– C'est sans doute cette faiblesse qui m'a poussée à céder à un infâme suborneur anonyme.

– Comment ça, anonyme ? Oh ! je comprends. Viens dans la bibliothèque, nous allons causer tous les deux.

Il me prit par la taille et m'entraîna hors de la pièce. Je m'étonnai encore une fois de ma passivité, sentir son bras reposer sur ma hanche ne me causait nulle gêne, je dirais même que c'était une sensation plutôt agréable. « Ma fille, ça ne tourne plus rond dans ta petite tête », pensai-je. Un instant l'horrible idée que je puisse être amoureuse me traversa la tête, mais je la chassai tant elle me parut ridicule.

Une fois dans la bibliothèque, Ellery ouvrit les épais volets de chêne pour laisser entrer un peu de jour et débarrassa deux sièges des livres qui y étaient tombés. Je m'installai confortablement dans un fauteuil de cuir vert sombre et il s'assit en face de moi sur une chaise tout empoussiérée.

– Tout d'abord, ma chérie, je te rappelle que je t'ai demandée en mariage et que ma demande tient toujours. Appelons cela le coup de foudre, si tu veux, mais j'ai toujours rêvé d'une femme indépendante,

mais féminine, comme toi. Je dirai même exceptionnellement courageuse car beaucoup se seraient
enfuies en découvrant un cadavre dans une pièce
où se cachait peut-être un assassin. Cela me change
des filles snobs et pseudo-intellectuelles de mon
milieu, et des infirmières qui commencent la chasse
au mari dès leur premier poste. Comme tu le sais
sûrement, selon la loi de cet État, que je t'épouse
sous mon nom véritable ou celui d'Ellery Queen ne
change rien à la légalité du mariage.

– Je le sais, mais il ne s'agit pas de cela. Il me
semble qu'à la suite de ce drame vous devriez tous
abandonner vos identités d'emprunt. Je trouvais
normal d'appeler Maigret le gros monsieur à l'accent français, ou Poirot la tête d'œuf à la moustache
cirée, maintenant cela me gêne. Quant à l'homme
dont j'ai partagé le lit, je trouve inadmissible de ne
même pas savoir comment il s'appelle.

Il ouvrit la bouche pour parler, je l'arrêtai d'un
geste :

– Je termine. Enfin, je trouve qu'Ellery est un prénom parfaitement ridicule dans la vie courante,
même si j'aime les romans dont Queen est le héros.
Voilà, c'est tout.

– En ce qui me concerne, tu as parfaitement raison, Carol, pour ce qui est des autres je pense qu'ils
voudront conserver leur personnalité d'emprunt
tant que la police n'aura pas pris les choses en main.
Je me nomme Stephen Sandford, diminutif Steve,
j'ai trente-six ans, je suis toujours célibataire et j'ha-

bite une villa de Pacific Palisades. Je vote démocrate et je suis chef du service de pneumologie et membre du conseil d'administration de la clinique Osmond de Santa Monica.

– Beau parti, si je comprends bien.

– Que tu aurais tort de refuser.

– Désolée, je suis allergique au mariage. Tu connais déjà mon nom, j'ai un an de moins que toi et j'ai travaillé dans une agence du gouvernement fédéral. Aujourd'hui, je dispose d'assez d'argent pour ne pas avoir besoin d'exercer une activité suivie. J'habite à Sausalito, une petite villa au milieu d'un jardin envahi par les capucines. Politiquement, j'ai toujours considéré que l'aile droite du parti républicain était composée de dangereux gauchistes et que tous nos Présidents étaient à la solde des Rouges. J'ai tout plein de défauts, en particulier je ne suis pas patiente et je n'ai pas bon caractère, mais cela tu le sais déjà. Pour tout autre renseignement, consulte Mr Holmes.

Il eut un petit rire.

– Cela me suffira pour l'instant, *darling*, et, moi, je saurai être patient.

L'apparition de Columbo nous interrompit.

– Désolé de vous déranger, m'dame, c'était juste pour vous dire que je partais à Northridge avec Maigret dans la Daimler de June. Veillez à ce qu'on ne touche à rien. Pete Keyhoe surveille la porte, je ne sais pas où est passée Ms Kay et... quatre yeux valent mieux que deux, comme dit ma femme.

– Incidemment, êtes-vous marié, lieutenant ?
Il parut offusqué de la question.
– Pour sûr que je suis marié.
– Vous semblez me faire confiance plus qu'aux autres, déjà sur une piste ?
– Oh ! non, m'dame, mais vous étiez une amie de June, vous et Ms Kay aussi, et puis vous avez un sacré sang-froid. Les autres... ils n'ont pas l'air de la regretter beaucoup, sauf le commissaire et le petit curé. Même vous Queen...
Ellery – ne mélangeons pas les vrais et faux prénoms – sourit sans répondre.
– Ah ! vous l'avez remarqué, dis-je.
– Oui, m'dame, ça donne à penser.
– Nous allons remonter tenir compagnie à Pete, lieutenant, ne vous inquiétez pas.
Il s'éloigna avec un de ses habituels gestes de la main, au moment de franchir la porte il se retourna :
– Vous connaissiez June depuis longtemps ?
– Non, pas très.
– C'est ce que m'a dit Ms Kay. Bon, j'y vais.
Dès qu'il fut parti, nous éclatâmes de rire, El et moi. Ce brave garçon prenait réellement son rôle de Columbo au sérieux, il fallait espérer qu'il puisse se décharger du fardeau dont il se croyait investi sur le flic le plus proche. Sinon il n'avait pas fini de nous enquiquiner en cherchant à éclaircir nombre de petits détails insignifiants que, probablement, lui et Holmes seraient les seuls à apercevoir. J'avoue qu'en ce qui me concernait la mort de Mrs McNally était

95

le dernier de mes soucis, les petites secousses telluriques que nous sentions encore parfois m'inquié-
taient bien davantage. J'ai beau savoir que la première est toujours, et de loin, la plus importante, je
n'étais pas rassurée. Ellery dut le sentir car il en
profita pour me prendre dans ses bras et m'embrasser. Je ne trouvai pas cela désagréable, que m'arrivait-il, grands dieux, que m'arrivait-il ?

– J'ai promis d'aller surveiller la chambre de June,
dis-je en me dégageant.

– Moi, je vais grimper sur la terrasse qui fait face
à la salle de bains. Le jour est maintenant levé et je
devrais pouvoir me rendre compte s'il est possible
d'atteindre la chambre par là. Je n'avais pas examiné
cette possibilité pour la murder party, il n'était pas
question de fracasser les fenêtres ! Je te retrouve
devant la porte de June. Si tu rencontres Poirot, ne
te laisse pas conter fleurette, il a une tête de séduc-
teur, ce type.

– Crétin !

Je remontai. Kay était de nouveau là, assise près
de Pete à côté de la porte de la chambre de June.
J'allai chercher une chaise et vint m'installer près
d'eux, Pete se leva aussitôt pour m'offrir son siège,
plus confortable.

– La romance avec Ellery est déjà terminée ? me
demanda Kay, d'un ton pincé. Vous savez, il
consomme une fille comme vous par semaine.

Pete jeta un coup d'œil surpris à Kay, il n'était
pas au courant de la rivalité qui nous opposait. Je

me demandai ce qu'elle entendait par « une fille comme vous », une Marie-couche-toi-là, je suppose, une pute quoi ! Elle serait bien étonnée si elle connaissait la vérité.

– Mr Queen est allé voir si on pouvait accéder à cette chambre par la terrasse qui lui fait face, répondis-je sans relever le sarcasme.

– Oh ! c'est impossible, Miss ! s'exclama le régisseur. Les deux corps de bâtiment sont trop éloignés l'un de l'autre. Quant à la fenêtre de la salle de bains, elle est située à quatre mètres dix au-dessus du sol et le mur est nu, personne n'aurait pu l'escalader. Madame le Docteur a bien voulu me faire visiter la chambre de la *señora,* on n'a pas pu y parvenir de l'extérieur. L'ouverture que le séisme a causé dans la fenêtre de la salle de bains est trop petite et, surtout, elle est hérissée d'esquilles de verre.

– Oui, dit Kay, le jour permet de mieux se rendre compte. Si quelqu'un avait tenté de pénétrer par là, il serait tailladé jusqu'au sang.

– En jetant une couverture sur ces éclats ?

– Non, Carol, ils se seraient alors brisés. Venez, puisque apparemment ni les cadavres ni les criminels cachés ne vous font peur, retournons dans la chambre. Restez là, Pete, nous en avons pour deux minutes.

Elle pénétra dans la pièce encore obscure, mais la salle de bains était suffisamment éclairée par le jour. Le corps était au même endroit, un drap le recouvrait, ce devait être Kay qui l'avait placé. Cette fille avait du cœur, dommage qu'elle soit aussi haïssable.

Je m'arrêtai devant la fenêtre, elle était faite d'un verre épais constitué de deux plaques collées sur une feuille de plastique. Certains pare-brise sont fabriqués ainsi. Sous la violence du tremblement de terre, une accélération de 1G avait dit le speaker à la radio, le plastique s'était déchiré et de larges éclats de verre, aiguisés comme des poignards, subsistaient tout autour du cadre de la fenêtre. Quiconque aurait tenté de s'introduire par là aurait été gravement blessé, c'était certain. Je me retournai vers Kay :

– Pete a raison, nul n'a pu entrer. Mais alors ça ne peut être qu'un suicide... Pourquoi avez-vous tout de suite affirmé qu'on l'avait tuée ?

– Je ne suis peut-être pas légiste, mais je peux quand même vous dire que le coup a été porté avec une force extrême depuis la gauche, or June était droitière. Si elle s'était frappé elle-même la blessure serait située plus à droite et puis il n'est pas si facile de se poignarder. De plus, c'est une absurdité, elle n'avait aucunement l'intention de mettre fin à ses jours, je le sais.

– Moi aussi.

Nous nous affrontâmes un instant du regard, puis elle reprit :

– Vous la voyez, réveillée au milieu de la nuit par le séisme, allumer deux bougies et se mettre en quête d'un couteau au milieu de tout ce verre brisé pour se le planter dans le sein ? Absurde ! Angela m'a dit que June gardait toujours le bougeoir et des allumettes dans le tiroir de la table de nuit, il y a parfois des coupures de courant ici. Je sais qu'elle prenait un tranquillisant pour dormir, aussi il n'est pas sûr qu'elle ait bien réalisé la situation quand le séisme l'a réveillée. Il n'est même pas certain qu'elle se soit levée aussitôt. A mon avis, elle a d'abord voulu aller à la salle de bains, tout simplement pour faire pipi, elle était pieds nus, je vous le rappelle, je les ai examinés, ils ont des coupures. C'est alors qu'elle a été poignardée.

— Par un fantôme sans doute ?

— Là, je n'en sais pas plus que vous. Une seule chose est sûre, ce n'est ni par vous, Carol, ni par moi, nous nous sommes retrouvées trop rapidement dans la cour du devant.

Elle avait raison, cela m'ennuyait de devoir l'éliminer des suspects possibles. Pour tout dire, elle m'aurait bien plu comme coupable.

— N'a-t-elle pu être assassinée avant le tremblement de terre ?

— Non. Dans ce cas elle n'aurait pas de coupures à la plante des pieds, elle a au moins fait quelques pas après le séisme.

Elle avait raison. Après... mais combien de temps après ? Un pneumologue et une ORL n'allaient pas nous le dire, rien ne remplace un bon légiste, ce n'est pas Mrs Patricia Cornwell qui me contredira.

— Vous avez certainement raison, et c'est très gentil de me fournir un alibi, Kay.

Elle me fusilla du regard.

– Croyez bien que je le regrette, me dit-elle en sortant de la chambre.

Le retour rapide de Columbo et de Maigret nous surprit, ils n'avaient pas eu le temps matériel d'aller à Northridge. Tous les invités les entouraient à présent dans le hall et je m'approchai pour écouter du haut de l'escalier.

– Le pont s'est effondré, annonça le lieutenant. Ça n'est pas surprenant, il branlait sérieusement quand je l'ai franchi avant-hier. Le problème, c'est que nous sommes coincés ici. Existe-t-il une autre voie d'accès ?

Pete s'agita derrière nous.

– Si ces dames le permettent, je peux indiquer un autre chemin à ces messieurs.

– Allez-y, dit Kay, je ne bouge pas de là.

Il descendit tandis que je restai à mon poste d'observation, appuyée contre la rampe.

– Il existe la vieille route des collines, messieurs, dit Pete une fois auprès d'eux. Elle est beaucoup plus longue, car elle descend au fond d'un canyon pour remonter sur l'autre versant, et en fort mauvais état. Personne n'y passe, sinon quelques *bikers* pour se donner des sensations fortes et s'imaginer revivre *L'Équipée sauvage*. Si vous le voulez, je vais y aller.

– Je vous accompagnerai, Pete, criai-je impulsivement.

Je commençai à en avoir assez de tourner en rond dans cette baraque.

– Cela peut attendre quelques minutes, fit la voix tranchante de Holmes. Le jour est suffisamment levé pour examiner les lieux du crime, ensuite il faudra bouger le corps de June, on ne peut le laisser là, par terre. En admettant même que Pete et Miss Evans parviennent à Northridge, je doute fort que nous recevions la visite du shérif avant plusieurs heures, voire un ou deux jours.

– Il faut d'abord s'assurer qu'il ne peut s'agir d'un suicide, dit Marlowe.

– Kay en est certaine, criai-je.

– Moi aussi, dit Holmes. Le coup n'a pu être porté par un droitier, c'est évident. Quelqu'un a-t-il de la poudre anthropométrique ?

– J'en ai, je vais la chercher, dit Ellery qui venait de réapparaître après son inspection extérieure des lieux.

Dès son retour, les crémones de la fenêtre et de la porte-fenêtre furent saupoudrées de poudre à relever les empreintes digitales et Columbo les photographia avec un 55 macro Nikon qu'il était allé chercher de son côté. Ces gens étaient équipés, moi, à part mon pistolet automatique et des chaussures de commando, je n'avais rien emporté et je ne pensais pas qu'ils me soient d'une grande utilité dans le cas présent. Une fois les volets ouverts et le drap retiré du corps, la scène nous apparut plus clairement. June était étendue sur le dos, à moins d'un mètre cinquante de la porte de la salle de bains. J'avais fermé cette porte la veille en quittant notre hôtesse, mais elle avait pu la laisser ouverte après sa toilette du soir.

Le couteau avait pénétré à la base du sein gauche, légèrement de bas en haut, et était enfoncé jusqu'à la garde. La poudre anthropométrique ne révéla aucune empreinte, ce qui était la preuve définitive qu'il s'agissait bien d'un meurtre. Ellery avait également rapporté une trousse médicale et il sonda les bords de la plaie, puis passa l'instrument à Kay qui en fit autant.

– Le coup a été porté avec une puissance considérable, dit-elle, une côte est brisée net.

– Exact, confirma-t-il.

– Je suggère que Columbo prenne des photos du corps et de la position du poignard, en particulier des gros plans, puis nous pourrons déposer le corps sur le lit, dit Holmes.

– Et retirer le couteau, ajouta Poirot qui regardait la scène tout en lissant sa moustache. Un corps ne saigne plus après la mort, il n'y a pas d'inconvénient à le déplacer, et l'examen de cette arme peut se révéler plein d'enseignements. Je me demande si elle provient de la panoplie de la bibliothèque.

– Je vais vérifier, dis-je.

– Retirer l'arme est peut-être prématuré, entendis-je dire au lieutenant en quittant la pièce. Il existe encore une chance de pouvoir prévenir les autorités.

Angela et Dolores, en pleurs, nous observaient

depuis le seuil de la chambre. La cuisinière releva vers moi son visage baigné de larmes :

– ¡ *Madre de dios* ! La pauvre señora... Et comment vais-je pouvoir vous faire manger maintenant ? me demanda-t-elle. Sans électricité, je ne puis plus rien chauffer et tout va se perdre dans le congélateur !

– Il y a certainement une autonomie de quarante-huit heures, Angela, ne vous inquiétez pas, le courant sera rétabli d'ici là et, en attendant, nous mangerons froid. Ce n'est pas grave. Pour tout ce qui concerne la maison, mieux vaut vous adresser à Ms Kay, je crois que c'était une amie intime de votre patronne.

– Oh ! oui, Miss, elle venait souvent, presque tous les mois, mais elle ne portait pas le nom qu'elle emploie en ce moment. J'ai d'abord pensé qu'elle s'était remariée, et je l'ai dit à la señora qui a ri. Si j'ai bien compris, vous participiez à une sorte de jeu ?

– Les autres, oui, pas moi, je m'appelle réellement Carol Evans. Ils ont tous pris l'identité d'un détective célèbre comme, par exemple, notre Sherlock Holmes.

– Ça, je sais que ce n'est pas le vrai, Miss. Mr Holmes est mort avant la guerre, mon père me racontait ses exploits quand j'étais petite.

Je la laissai à ses certitudes et demandai à sa sœur de m'accompagner au petit salon. Dolores ouvrit les volets un peu partout sur notre passage pour donner de la lumière, ce qui nous évita de trébucher sur les objets qui jonchaient le sol. Je ramassai une à une les armes blanches de la collection de feu le maître de céans, et les remis en place : aucune ne manquait à l'appel.

– Quel qu'il soit, l'assassin a apporté son propre poignard, c'est bien un meurtre prémédité, mon enfant.

Je n'avais pas entendu venir le Père Brown, il se tenait derrière moi et contemplait la panoplie reconstituée.

Chapitre 6

17 janvier - 8 h 30

Pete avait quitté l'hacienda par une route minuscule qui passait derrière le corral et dont je n'aurais pas soupçonné l'existence. De ce côté, pas de mur d'enceinte, une simple clôture de piquets de bois reliés par du fil de fer barbelé délimitait le ranch. Nous tournions le dos à la forêt, donc à Northridge, et partions en direction d'une succession de collines de terre rougeâtre. Des variétés d'euphorbes, de toutes petites qui poussaient entre les pierres jusqu'au cactus candélabre, constituaient la seule végétation à l'exception de quelques pins rabougris dont le vent avait dû apporter la semence jusque-là. Plutôt désolé comme paysage.

— Ce chemin rallonge de combien ? demandai-je au chauffeur qui était resté silencieux depuis notre départ.

— Une vingtaine de kilomètres, Miss. Personne n'y passe. D'ailleurs, il n'y a rien par là, que le désert.

– Pourquoi ?

– C'est à cause des canyons, faute de pont ils sont infranchissables, nous nous dirigeons vers le moins profond où on a pu faire descendre une route. Quand j'étais enfant, ce n'était qu'une piste, elle n'a été goudronnée qu'à la fin des années cinquante.

– Je suppose que dans l'autre direction on arrive au pont effondré ?

– C'est exact, Miss, ce chemin contourne le ranch et débouche sur la route principale. Vous n'avez pas dû prêter attention à la bifurcation en arrivant.

Un reptile traversa devant nous sans se presser, il n'avait manifestement pas l'habitude des automobiles. Cette bestiole devait souffrir d'insomnie, en principe ces animaux attendent d'être réchauffés par le soleil avant de se risquer hors de leur trou.

– Il y a beaucoup de crotales par ici ?

– Comme partout, me répondit philosophiquement Pete. Ce serpent était inoffensif, sans quoi j'aurais accéléré pour l'écraser.

Mon compagnon n'était guère bavard, il est vrai qu'il avait fort à faire pour éviter les nids-de-poule qui s'ouvraient dans la route. Certains étaient si profonds qu'une roue risquait d'y rester coincée, j'approuvai intérieurement Pete de ne pas dépasser le quarante à l'heure et de ne pas me faire la conversation. Face à nous se dressait une colline plus haute que les autres, je supposai que le canyon se trouvait derrière car je n'apercevais nulle part de rupture dans la continuité du paysage. Bah ! on verrait bien, le chauffage de la voiture fonctionnait et les amortisseurs étaient bons, c'était l'essentiel. Je me laissai bercer par le ronronnement du moteur.

Arrivé au sommet, Pete freina sec, me tirant brutalement de ma rêverie.

– Merde !

Je regardai.

– Merde ! dis-je en écho.

Une énorme faille s'ouvrait dans la route plus bas, juste avant d'arriver au bord du canyon. Un glissement de terrain s'était produit, emportant une vingtaine de mètres de ruban goudronné. Cette fois, plus de doute, nous étions bel et bien prisonniers du Negro Zumbon. Nous descendîmes de voiture pour mieux nous rendre compte de la situation. En grimpant sur un escarpement rocheux à la droite du chemin, il nous fut possible d'avoir une vue plongeante sur le canyon. La terre avait terriblement remué par là et il ne restait plus que des petits bouts déchiquetés de notre route. Il faudrait des semaines pour la remettre en état, ou plutôt des mois, car la réparation des *highways* et principales voies de communication aurait la priorité.

– C'est sans espoir.

– Oui, Miss, même un mulet ne passerait pas.

Un scintillement attira mon attention, je tournai la tête vers la droite : le soleil se reflétait dans le rétroviseur d'une grosse moto située en contrebas. Quatre autres machines du même type étaient rangées tout près, leurs propriétaires occupés à les remettre en état car elles avaient dû être précipitées à terre lors du séisme. Trois tentes, dont une effondrée, étaient dressées un peu plus loin ; il ne devait pas faire chaud là-dessous, quelle idée de faire du camping à cette époque de l'année ! Je vis que l'un des *bikers*, un jeune au crâne rasé vêtu de cuir noir, regardait dans ma direction. Il nous montra à ses copains qui relevèrent la tête, parmi eux j'aperçus une fille aux cheveux carotte. Ils étaient coincés comme nous et nous n'allions pas tarder à les voir apparaître au ranch. Je n'aimais pas beaucoup cette idée, il y a trop de punks agressifs parmi cette engeance. J'exagère peut-être, si les motards qu'on rencontre en bande sont en général des têtes brûlées, ce ne sont pas tous des voyous. Néanmoins, il faudrait rester sur nos gardes. Je les montrai à Pete.

– Il en vient souvent par ici, Miss. Croyez-vous que l'un d'eux puisse avoir un rapport avec la mort de la señora ?

La question me surprit, je ne l'avais pas envisagée un seul instant, June craignait l'un des participants de la murder party pas quelqu'un de l'extérieur. Et puis, comment admettre qu'un de ces garçons se soit trouvé à l'hacienda au moment précis du tremblement de terre ? Non, ce serait un hasard invraisemblable. Je l'expliquai à Pete tout en regagnant la voiture et il parut convaincu.

Sur le chemin du retour, je lui demandai :

– Connaissiez-vous déjà les autres invités ?

– Oui, Miss. Ils sont déjà venus une fois ou l'autre,

sauf celui qui se fait appeler Marlowe et le monsieur plus âgé à l'accent étranger.

Tiens, Maigret, qui paraissait si affecté par la mort de June n'avait jamais été invité auparavant. Curieux.

— C'est surtout la dame qui se fait appeler Kay en ce moment qui venait souvent voir la señora. Elles sont parentes de la main gauche, comme on dit.

— Sous quel nom la connaissiez-vous ?

Il hésita un instant, puis dut se dire que la police exigerait les identités réelles de tous ces gens et que le temps des cachotteries et des petits jeux était passé.

— Helen Snyder, elle est médecin.

— Oto-rhino, je sais. Elle faisait partie de la famille ?

— Non, pas vraiment. Elle appelait parfois la señora Auntie, mais Mrs McNally nous avait dit que Ms Helen n'était pas réellement sa nièce.

— Et les autres ?

— Je les connais peu, sauf Mr Steve, celui qui se fait appeler Queen et que vous connaissez bien, je crois. Il vient régulièrement, deux à trois fois par an. En ce qui concerne les autres messieurs, tout ce que je puis dire c'est qu'ils ont passé au moins un week-end ici au cours des trois dernières années. Je serais incapable de me souvenir de leurs noms véritables.

— Le Père Brown, quel que soit son nom, est-il déjà venu costumé en ecclésiastique ?

— En soutane, non, mais... il me semble déjà avoir

vu ce monsieur avec un col romain et une croix au revers de son veston. Hier, il m'a confié qu'il allait avoir soixante-quatre ans, je ne l'aurais pas cru si âgé. Mais vous savez, Miss, je n'ai pas beaucoup de contacts avec les invités, Dolores qui les sert à table pourrait mieux vous renseigner que moi.

Nous étions tous réunis dans la grande bibliothèque qu'Angela et sa sœur s'étaient employées à rendre de nouveau habitable pendant notre absence. Je fis un compte rendu précis de notre tentative infructueuse de gagner la ville et de notre rencontre avec le groupe des cinq bikers. Un long silence s'ensuivit que finit par rompre Holmes :

– Tout comme vous, Miss Evans, je pense que la présence de ces motards est fortuite et n'a pas de rapport avec le crime. S'ils viennent par ici, nous aviserons, ce sont peut-être des jeunes gens tout à fait convenables. Maintenant, il faut décider de notre conduite à tenir dans les prochaines heures. Nous pouvons nous contenter de camper et de puiser dans l'excellent choix de livres et dans la non moins renommée cave à liqueurs de feu notre ami McNally, en attendant que les autorités prennent les choses en main, ou nous pouvons essayer de découvrir le meurtrier de son épouse avant leur arrivée.

– Vous pensez qu'il est parmi nous ? dit Maigret.

– Cela me paraît malheureusement évident. Comme l'a fait remarquer Miss Evans, il aurait fallu un hasard extraordinaire pour qu'un de ces motards soit ici à l'instant précis du séisme. Et puis pourquoi aurait-il tué June ? Je ne crois ni au hasard, ni aux actes gratuits, l'un de nous doit avoir un motif.

– Par nous, vous incluez les domestiques ? demanda encore le gros Français.

– Bien entendu, toutes les personnes présentes. Alors, qui est d'accord pour chercher le coupable ?

Toutes les mains se levèrent, sauf une, celle du Père Brown.

– Dieu le connaît déjà, dit-il, et je ne sais pas si... Je crois que vous commettez une erreur, ce n'est pas à nous de... Oh ! qu'importe, je sais bien que vous n'en ferez qu'à votre tête.

– Voilà une chose de réglée, intervint Ellery. Toutefois, nous avons un problème plus trivial à résoudre : le corps. Nous n'avons pas de chambre froide à notre disposition, Kay et moi venons de procéder aux obturations habituellement pratiquées par les croque-morts, mais la pauvre June ne pourra rester ainsi plus de deux jours. Le mieux serait de faire un cercueil et de le placer dehors sur une terrasse, le froid aidera à la conservation. Avez-vous des planches, Pete ?

– Oui, monsieur. Ce sera un peu long, je n'ai pas l'habitude, et la scie électrique ne fonctionne pas, faute de courant. Un de ces messieurs pourrait-il m'aider ?

– Pas pour scier car je souffre encore du bras, dit Marlowe, mais j'ai fait de la menuiserie en amateur dans le temps et je pense pouvoir me servir d'un marteau.

– Parfait, reprit El. Venons-en maintenant à la question du poignard. Je suis d'avis de le retirer, comme l'a déjà proposé Poirot, il nous apprendra beaucoup de choses, en particulier nous pourrons vérifier si le crime a bien été commis comme les faits le laissent supposer.

– C'est évident, opina le Belge.

Je vis Holmes, Columbo, Marlowe et même le Père Brown approuver d'un hochement de la tête. Je ne voyais vraiment pas ce qu'ils voulaient dire, ou bien j'étais particulièrement débile – oh ! oui, s'exclamerait mon amie Amanda Greenwood –, ou ils étaient tous plus malins que moi. Et d'abord quels faits ? Comment avait-on pu tuer June dans une chambre close et s'en évaporer ensuite ? Enfin, je n'étais pas la seule, Maigret et Kay n'avaient pas l'air plus doués que moi, c'était à tout le moins une consolation.

– Comment cela ? demandai-je au risque de passer pour une idiote.

– En procédant à une reconstitution, *darling*, me répondit Ellery.

Je remarquai qu'il m'appelait « chérie » devant les autres, officialisant ainsi notre liaison. Bah ! qu'importe, Holmes et Kay m'avaient vue dans ses bras, alors tout le monde devait être au courant. Mais qu'entendait-il par reconstitution ? Avaient-ils réellement découvert comment le meurtre avait pu être commis ? Je décidai d'en avoir le cœur net, quitte à paraître définitivement demeurée.

– Si je comprends bien, messieurs, vous savez tous comment on a pu poignarder June dans une pièce fermée de l'intérieur, et comment l'assassin a pu ensuite quitter les lieux ?

– Naturellement, mon enfant, me dit paternellement le prêtre. Ne soyez pas chagrinée de ne pas l'avoir découvert vous-même, vous n'êtes pas familière de la pratique policière comme nous.

Je manquai m'étrangler intérieurement, mais le visage rond et réjoui de Brown exprimait une telle sympathie à mon égard que je me résignai à faire preuve d'humilité.

– Peut-être pourriez-vous m'expliquer, mon Père ?

– Bien sûr. L'assassin n'a pas eu à sortir de la chambre pour la simple raison qu'il n'y est jamais entré, c'est évident. Vous êtes d'accord, mes amis ?

Toutes les têtes approuvèrent sauf celles de Maigret et de Kay.

– Comment a-t-elle été poignardée, alors ?

– C'est simple, reprit le Père Brown, le couteau a volé vers elle comme la flèche de Robin Hood volait vers sa cible.

– Volait ? Vous voulez dire qu'on a lancé le couteau ? Mais c'est impossible, la chambre était parfaitement close.

– Je vous rappelle que le corps n'était pas situé dans l'axe de la vitre brisée de la salle de bains, intervint Kay qui nageait autant que moi.

113

– Pardonnez-moi de me citer moi-même, déclara Holmes de son ton doctoral, mais une fois que l'impossible a été éliminé, la seule solution possible – si invraisemblable soit-elle – doit être la bonne. Le poignard a été lancé de la terrasse qui fait face à la salle de bains, June venait alors d'y entrer, sous la violence du choc elle a fait deux ou trois pas en arrière et est tombée à la renverse dans sa chambre.

– Exact, dit Ellery. En voyant la position du corps, j'ai d'abord cru qu'elle allait vers la salle d'eau, alors qu'en fait elle en revenait à reculons.

Maigret s'esclaffa :

– Il y a au moins un point sur lequel je suis d'accord avec vous, messieurs, c'est que votre solution est parfaitement invraisemblable !

Je n'étais pas loin de partager son avis.

– Vous vous trompez, mon ami, dit Poirot. Pensez aux bougies.

– Aux bougies ?

– Oui, reprit Holmes, l'une est tombée du bougeoir à l'instant de l'impact, donc dans la salle de bains. Elle n'y a pas roulé comme nous l'avons d'abord cru, car la cire fondue aurait alors amorcé son trajet sur la moquette de la chambre, or on ne trouve de la cire que sur le carrelage.

– Oui, c'est la preuve décisive, dit El. Cela a dû se passer ainsi. Toutefois, nous ne pourrons être totalement affirmatifs qu'après avoir procédé à une reconstitution pour être certains que ce poignard a pu franchir la distance qui sépare la terrasse de la fenêtre. Cela me semble trop loin, douze mètres et quelque, m'a dit Pete Keyhoe.

– Pourquoi June serait-elle allée se placer devant cette ouverture juste après le séisme ? demanda le commissaire. Elle aurait plutôt dû quitter sa chambre.

– Il faut qu'on l'y ait attirée, probablement par des signaux lumineux, répondit Holmes. Voici une première hypothèse, nous affinerons plus tard : le tremblement de terre se produit à 4 h 31, il réveille June et l'assassin...

– Plus vite ce dernier qu'elle, le coupa Kay. June prenait du Temesta 2.5 pour dormir, c'est moi qui le lui prescrivais. Elle avait des difficultés à trouver le sommeil. Cette nuit, nous nous sommes couchés bien après minuit, elle devait être complètement sous l'effet de la drogue au moment du séisme, elle a dû mettre un moment avant de retrouver sa lucidité.

– Parfait. Notre meurtrier comprend que cet événement imprévu lui donne une chance inespérée de commettre son forfait. Sans doute comptait-il perpétrer le crime au cours de la murder party et la présence de Miss Evans a dérangé ses plans. Il court au deuxième bâtiment, grimpe sur la terrasse, il a forcément une torche électrique avec lui car la nuit est noire, et il éclaire l'ouverture béante dans la vitre de la salle de bains. La chance lui sourit, June, encore mal réveillée, croit qu'on lui fait signe pour lui porter secours et s'avance devant l'ouverture.

C'est alors qu'il lance son poignard. Je vous rappelle que la terrasse est légèrement en contrebas par rapport à la salle de bains, c'est ce qui explique que le couteau ait pénétré de bas en haut.

– Ça se tient, m'sieur, reconnut Columbo en se grattant la tête. Mais celui qui a fait ça est un champion. Réussir un tel coup, la nuit, à une distance pareille... Je sais que c'est la seule solution possible, mais je n'y croirai que si l'un de nous parvenait à rééditer l'exploit. Je pense qu'il faut procéder à l'essai d'abord, le cercueil peut attendre une heure. Y a-t-il un mannequin de couturière ici, Pete ?

– Je vais demander à Dolores, monsieur.

Nous nous tenions sur la terrasse et Angela se trouvait dans la chambre de sa patronne pour retirer le poignard s'il atteignait sa cible et le jeter à Pete qui attendait dans le jardinet séparant les deux corps de bâtiments. Il était chargé de nous faire passer l'arme en l'attachant à une corde que nous pourrions tirer depuis la terrasse. La distance nous séparant de la cible était vraiment grande et, même en plein jour, il ne devait pas être facile d'atteindre une silhouette en partie cachée derrière les éclats de verre encore attachés au cadre de la fenêtre. Dolores nous avait trouvé un de ces vieux mannequins recouverts de drap gris qui représentait le corps d'une femme des hanches au cou. Ni tête ni membres, l'objet reposait sur un pied unique.

Mr Holmes soupesait le poignard dans sa main :

– Une arme très équilibrée, faite pour le lancer, comme en utilisent les commandos de l'armée. On ne trouve pas ça en vente dans tous les magasins, la police pourra peut-être retrouver où elle a été achetée.

Comme je me penchais pour examiner le couteau, Holmes eut un petit sourire ironique et me le tendit.

– Ce couteau vous intéresse ? Alors, à vous l'honneur, Miss Evans, vous allez pouvoir faire la preuve de votre adresse.

Il me testait, j'en étais sûre. Je lui rendis son sourire, pris le poignard par la pointe et me plaçai en face de la cible. C'était diablement loin. J'estimai distance et direction d'un coup d'œil et, de toutes mes forces, lançai l'arme. Elle alla s'enfoncer dans le mannequin et le fit rouler à terre.

– Mon Dieu ! s'exclama le Père Brown en français.

– Par exemple ! fit Columbo en écho.

– Ainsi le meurtre a bien été commis ainsi, dit Philip Marlowe. Je doutais, malgré tout.

Angela apparut par l'ouverture, nous montrant le mannequin, le couteau avait pénétré dans le sein gauche. Elle le retira et le jeta dans le jardinet, puis elle remit la cible en place. De son côté, Pete alla ramasser le poignard et l'attacha à la corde qui permit à Columbo de récupérer l'engin. Holmes s'en empara aussitôt, se plaça au même endroit que moi, visa soigneusement et lança. La direction y était, pas la distance, il lui manqua deux bons mètres pour atteindre l'ouverture qui nous faisait face, le couteau tomba à quelques pas de Pete. Holmes ne fit aucun commentaire et me jeta un coup d'œil plus intrigué qu'envieux. Ce fut lui-même qui remonta le poignard et le tendit à Kay, sans doute pour tester la force d'une autre femme.

– Je n'y arriverai pas, c'est trop loin.

– Essayez quand même, Ms Scarpetta, lui dit-il.

Elle ne franchit même pas la moitié du jardinet au point que je me demandai si elle ne l'avait pas fait exprès. Finalement, seul le lieutenant atteignit la cible. Marlowe frappa un éclat de la vitre, mais reconnut qu'il aurait fait mieux, n'était son épaule douloureuse. Ellery, Poirot, Maigret et le Père Brown furent particulièrement minables ! Enfin, Pete nous rejoignit et fit aussi bien que moi, ce qui ne me surprit pas, c'était un manuel.

– Qui devons-nous éliminer ? demanda le prêtre. Ceux qui ont réussi même si nous savons qu'ils sont capables d'un tel lancer, ou ceux qui ont échoué car ils ont peut-être voulu nous laisser ignorer qu'ils pouvaient y parvenir ?

– L'expérience n'avait pour but d'éliminer personne, lui répondit Ellery, simplement de savoir si le meurtre avait pu être commis ainsi. La réponse est oui, et tout le monde reste suspect puisque trois personnes ont réussi dont une femme.

Kay haussa les épaules et prit un air dégoûté.

– Vous avez tout à fait raison, mon ami, dit Poirot. Il serait bon maintenant d'examiner la question des alibis, mais d'abord nos deux médecins ont-ils une idée précise de l'heure de la mort ? Cela peut être très important.

– Je sais, dit Kay, j'en ai discuté avec El, mais nous ne sommes légistes ni l'un ni l'autre. June a été tuée après le tremblement de terre, les coupures de verre sous ses pieds le prouvent, mais est-ce cinq minutes ou une heure nous n'en savons rien. Quand nous l'avons trouvée la rigidité cadavérique n'avait pas encore commencé.

– Voilà qui est important, dit Poirot. Autrement dit, elle a pu être tuée aussi bien juste après le séisme que lorsque nous nous sommes tous égayés dans la nature à la recherche de l'abbé. Je propose donc que nous regagnions un lieu civilisé, c'est-à-dire où l'on puisse s'asseoir, et que chacun d'entre nous rende compte de ses faits et gestes.

– Ça me paraît une bonne idée, m'sieur Poirot, approuva le lieutenant. Là on pourra peut-être éliminer une ou deux personnes, ce qui simplifierait bien les choses, je n'aime pas quand il y a trop de suspects.

– Nous le savons tous, Columbo, vous n'en choisissez toujours qu'un seul, précisément le coupable, dis-je. Que n'en faites-vous autant ici ?

– Ah ! vous vous moquez de moi, Miss Carol, ce n'est pas gentil. A la télé, j'ai lu le script, ici il n'y en a pas, c'est toute la différence. Au fait, messieurs, n'oublions pas le cercueil, notre réunion peut attendre quelques minutes.

Il me fit un clin d'œil et entreprit de quitter la terrasse à la suite des autres qui avaient déjà commencé à descendre. Ellery me prit par la taille et me retint tout en me soufflant à l'oreille :

– En cas de scène de ménage, je suis un homme mort, mais je maintiens quand même ma demande en mariage.

– Idiot ! Dans les scènes de ménage on lance des assiettes pas des poignards et, de toute façon, tu n'auras pas l'occasion de le vérifier.

Il rit et m'embrassa tout en me caressant. Ce n'était pas désagréable, mais je vis qu'Angela nous observait depuis l'autre bâtiment. Je me dégageai et la lui montrai.

– Quelle importance ? me dit-il. Sa sœur se rendra bien compte qu'on a baisé en changeant les draps. J'ai envie de toi, tout de suite.

– Quoi ! Ici ? Mais tu es fou, il doit faire à peine neuf degrés maintenant et les autres nous attendent pour parler des alibis.

– Je me moque des alibis, et puis ils ont un cercueil à faire. En attendant, c'est toi que je veux. Viens, il doit bien y avoir des endroits tranquilles dans cette partie de la maison, j'admets qu'une terrasse en plein air n'est pas l'endroit idéal pour pratiquer ce genre d'exercice.

C'est ainsi que je me retrouvai dans une buanderie, allongée sur une table, les jambes croisées autour des reins d'Ellery tandis que, debout, il s'enfonçait en moi. Ses mains parcouraient en même temps mon corps et y faisaient courir mille frissons. Cette fois je jouis en même temps que lui, et je crus m'évanouir tellement la sensation fut forte. Un véritable étalon, ce type ! Ensuite, je restai un long moment serrée contre lui, le souffle court, regrettant déjà de ne plus le sentir dans mon ventre.

– Ah ! nous vous croyions perdus, nous dit ironiquement Kay à notre entrée.

Il est vrai qu'il avaient dû avoir le temps de faire deux ou trois cercueils pendant nos ébats. Tant pis ! Je m'assis près d'Ellery, sur un des profonds canapés de la bibliothèque, sans répondre. Poirot était occupé à réaliser un tableau en installant un grand carton blanc sur un chevalet de musique. Il inscrivit en tête « 4 h 31 : séisme », puis il se tourna vers nous en disant :

– Je vais maintenant demander à chacun de vous de détailler ce qu'il a fait une fois réveillé, sans rien omettre, et, s'il en est capable, d'estimer la durée de chaque séquence. Ms Kay, à vous l'honneur.

– Je... eh bien, j'ai couru dehors comme une folle, j'ai retrouvé Carol presque immédiatement... peut-être deux-trois minutes plus tard, c'est difficile à estimer. Je l'ai entendue descendre de son balcon par la glycine, cela j'en suis sûre. Très vite, deux minutes plus tard dirais-je, nous avons aperçu et rejoint Holmes, Queen et Maigret, puis nous sommes rentrés dans notre bâtiment à cause du froid. Là, il a bien dû s'écouler une demi-heure ou plus avant que Columbo n'apparaisse et...

– Non, madame, la coupa Poirot de son ton sentencieux. Le lieutenant nous a fait écouter le bulletin d'informations de 5 h 15, entre-temps j'avais été réveillé et Philip Marlowe nous avait rejoints. Donc, il n'a pas pu s'écouler plus de vingt minutes entre votre retour au pavillon des invités et la réapparition de notre ami Columbo.

Autrement dit, Ellery m'avait sautée en un quart d'heure et ça avait marché ! Insensé... Enfin, moi j'étais insensée.

– C'est possible, monsieur Poirot, dans ces moments-là on perd la notion du temps. Ensuite, j'ai dû soigner Mr Marlowe puis le Père Brown et je ne suis plus ressortie jusqu'au moment où Pete est venu nous chercher.

– Si Miss Evans confirme vos dires, ce dont je ne doute pas, vous êtes hors de cause, docteur. Il est évident qu'au cours des cinq premières minutes qui ont suivi le tremblement de terre vous n'auriez pas eu le temps d'aller jusqu'à la terrasse pour lancer le poignard, en admettant que vous en soyez capable. Notre amie Carol le peut, elle, nous en avons eu l'impressionnante démonstration, mais en a-t-elle eu l'occasion ? A vous, ma chère.

Depuis quand étais-je la « chère Carol » de cette gravure de mode d'un autre âge ? Bah ! passons... A nous deux, Hercule.

Chapitre 7

17 janvier - 11 heures

Je dus, à regret, confirmer l'alibi de Kay, elle n'avait pas eu le temps matériel de commettre le meurtre, ni au moment du séisme, ni après. D'habitude, je ne m'embarrasse pas trop de ces questions, c'est d'un ennui mortel, et tout compte fait il y a peu d'alibis qui résistent à un troisième degré bien appliqué. Du temps où j'appartenais encore à la CIA, j'ai toujours obtenu des aveux aussi rapides que spontanés. Les suspects étaient-ils coupables ? Je le croyais, c'était l'essentiel, pour le reste je dirai comme saint Bernard qui parlait, m'a-t-on dit, d'une population où bons catholiques et hérétiques étaient mélangés : « Tuez-les tous, Dieu reconnaîtra les siens. » Sages paroles que, je le crains, notre petit curé n'aurait pas approuvées.

– Autrement dit, conclut Poirot après m'avoir écoutée, pas plus que Ms Kay vous n'avez pu tuer June à 4 h 30, mais ensuite personne ne peut témoigner de ce que vous avez fait pendant que nous recherchions le Père. Rassurez-vous, nous devons être à peu près tous dans le même cas. Ms Angela, c'est à vous je pense.

Tous ces regards fixés sur elle parurent effrayer la cuisinière. Pete posa sa main sur la sienne pour l'encourager et elle se redressa dans son fauteuil pour répondre :

– *Pete y yo no estamos casados...* Pardon, nous ne sommes pas mariés car il n'a jamais divorcé de sa première femme, mais nous vivons ensemble. Ms Helen le sait, enfin je veux dire la dame qui se fait appeler Dr Scarpetta en ce moment.

Kay fit un signe d'assentiment.

– Cette nuit, une fois la señora et Miss Evans couchées, nous avons nettoyé et mis de l'ordre dans le salon avec ma sœur, pendant une bonne heure, Pete nous a rejointes après s'être occupé des chevaux, puis nous sommes montés dans nos chambres au second. La journée avait été dure et je crois bien m'être endormie aussitôt.

– Pete aurait-il pu se relever sans que vous l'entendiez ?

– Non, Mr Poirot, j'ai le sommeil plutôt léger. Des fois, Dolores me réveille rien qu'en remuant dans son lit.

– Autrement dit, vous auriez également entendu votre sœur quitter sa chambre si tel avait été le cas ?

– Je le pense. Et puis Dolores n'aurait jamais tué

la señora, elle n'en aurait pas eu la force et nous l'aimions tous, qu'allons-nous devenir maintenant ?

– Ces questions n'ont pas pour but d'accuser quelqu'un, Ms Angela, mais de déterminer qui aurait eu l'opportunité de commettre le crime, c'est tout. A vous Dolores.

– Je n'ai pas quitté ma chambre, *lo juro por la Madona. El dia* avait été long et j'avais mal aux jambes, *amenudo me duelen las piernas.* Alors, j'ai pris une pilule de la señora, *una de las que* lui donnait Ms Helen pour dormir. J'étais encore ensuquée *cuando* la terre s'est mise à trembler et Pete a dû me secouer pour achever de me réveiller.

Poirot pointa un doigt vers Pete.

– C'est exact, monsieur, elle était encore dans les vapes. De plus, Angela a raison, Dolores n'a pas beaucoup de force dans les bras et elle n'aurait jamais pu envoyer un poignard aussi loin, et en visant juste encore. Pour être sincère, je n'aurais jamais pensé qu'une femme puisse le faire, si je n'avais vu Miss Evans y parvenir du premier coup. J'ai été bluffé.

– Nous aussi, mon ami, nous aussi. Bien, nous avons là un alibi familial, si j'ose m'exprimer ainsi. Il vaut ce qu'il vaut, et si j'admets qu'il est peu probable qu'Angela et Dolores soient des championnes du lancer du couteau, il n'en va pas de même pour vous, Pete. Nous garderons tout cela en mémoire. En attendant, je suggère que nous libérions nos aides ancillaires afin qu'elles nous préparent un petit repas froid, indigne certes de leur talent, mais qui sera apprécié de tous.

Les deux Hispaniques s'en allèrent, visiblement soulagées de ne plus être sur la sellette. Je doute qu'elles aient compris le charabia de Poirot, mais un geste de sa main associé au mot repas les avait éclairées.

– Maintenant passons aux hommes, reprit le Belge. Bien évidemment, Hercule Poirot n'a aucun alibi, j'en conviens volontiers. Personne n'est forcé de croire que j'ai été le seul à ne pas avoir été réveillé par le séisme et je ne pense pas qu'on m'ait aperçu rechercher le Père.

Il interrogea l'assemblée du regard et personne ne bougea. Le bonhomme était agaçant de suffisance, mais il avait l'esprit clair. Je suppose que Holmes avait déjà répertorié nos faits et gestes dans son esprit analytique. Il n'était pas homme à se taire sans raison, il devait échafauder une théorie.

– Je me range donc parmi les suspects, tout comme vous, Brown. Que diable faisiez-vous dans l'étable ? L'explication que vous nous avez fournie est une des moins convaincantes que j'aie jamais entendues, mais je n'avais pas insisté car nous ignorions alors la mort de June.

Le Père leva les bras au ciel comme pour le prendre à témoin.

– J'ai pourtant dit la vérité, mon ami. J'ai péché, j'ai péché par orgueil, par bêtise, par ignorance. J'ai cru pouvoir briller au cours de ce jeu, et je me suis

montré nul, lamentable. Comment n'ai-je pas pensé
à Drury Lane en découvrant cette édition de *Hamlet*,
j'ai bien dû relire les quatre « Barnaby Ross » dix
fois ! Nul, vous dis-je. Je me suis d'abord allongé tout
habillé sur mon lit et j'ai tenté de lire mon bréviaire,
les lettres dansaient devant mes yeux. Alors, j'ai
passé un manteau et je suis ressorti dans l'espoir de
me calmer. J'ai fait le tour de la maison, oh ! je sais
ce que cette déclaration a de compromettant car je
suis passé devant la terrasse d'où... enfin, la terrasse.
Mais je n'y suis pas monté, je le jure devant Dieu,
ensuite je me suis dirigé vers l'étable pour trouver
quelque réconfort auprès des chevaux. Leurs hen-
nissements furieux m'ont poussé à hâter le pas et je
ne me souviens de rien d'autre. Voilà, c'est tout, je
sais que c'est parfaitement invraisemblable et que
vous n'allez pas me croire, mais qu'y puis-je ? C'est
vrai. Et puis, maintenant que cette pauvre June est
morte, qu'on me croie ou pas m'importe peu, il ne
me reste qu'à la pleurer et prier pour le salut de son
âme.

– Nous admettrons vos dires pour l'instant, mon
Père, j'ai déjà entendu des choses plus incroyables
et qui se sont révélées exactes. Queen ?

– Je pense être hors de cause pour les minutes qui
ont suivi le séisme puisque j'ai retrouvé à l'extérieur
de notre bâtiment Holmes et Maigret presque aussitôt. Ceci vaut pour eux également, très vite nous
avons été rejoints par Carol et Kay. On peut tenir
ces points comme bien établis par des témoignages

croisés. Ensuite, lors de la recherche du prêtre, je me suis d'abord attardé avec Kay pour examiner les blessures de Philip Marlowe, toutefois, ayant constaté qu'elles n'étaient pas graves, je ne suis pas resté avec eux jusqu'à votre retour. Comme vous le savez, je vous ai rejoints à l'étable. Néanmoins Kay pourra témoigner qu'il s'est écoulé peu de temps entre le moment où je suis sorti et celui où nous avons ramené Brown. Je n'aurais pu aller jusqu'à la terrasse et en revenir si vite.

Poirot interrogea Kay d'un mouvement impérieux de la moustache.

– J'étais occupée et je n'ai pas fait attention, mais je crois que c'est exact, reconnut-elle, à contrecœur eus-je l'impression. Il me semble que vous avez ramené le Père quelques minutes seulement après le départ d'Ellery.

Je m'aperçus que je ressentais une vive satisfaction à voir El mis hors de cause. Autant regarder les choses en face : j'étais amoureuse. D'un homme ? En quelques heures, c'était dingue, c'était absolument dingue...

– Alibi admis. Commissaire ?

– J'ai d'abord retrouvé Holmes et Queen, comme il vient de le dire. Plus tard, j'ai recherché le prêtre du côté où sont garées les machines agricoles, je crains bien que cela ne fasse de moi aussi un suspect. L'endroit était désert.

– Mon cher confrère ?

Le petit Belge s'était tourné vers Holmes, je suppose qu'il voulait signifier par là qu'ils étaient confrères en notoriété. Une sorte d'hommage en quelque sorte.

– Je confirme ce qu'a dit Queen. Ensuite j'ai longé les communs, d'abord avec Maigret puis seul, avant de découvrir Brown à l'étable. C'est alors que je vous ai appelé.

– Ce qui ne vous a pratiquement pas laissé le temps de contourner la maison pour atteindre la terrasse. Bien. A vous, Mr Marlowe, que vous est-il arrivé ?

– J'ai cru que la maison allait s'effondrer sur moi, vous savez on ne réfléchit pas dans ces cas-là, et j'ai couru dehors droit devant moi. Où ? Je ne sais pas exactement, il faisait nuit noire, ce n'était pas vers le parking, j'aurais discerné l'ombre des automobiles, plutôt à l'opposé dans la direction de l'enclos des chevaux. Puis, j'ai buté contre quelque chose, une pierre sans doute, et j'ai roulé par terre. Je me suis fait des égratignures et j'ai ressenti une vive douleur à l'épaule, mais il n'y avait rien de cassé m'ont dit nos docteurs maison. Naturellement, je me rends compte que j'ai une place de choix parmi les suspects.

– Si vous aviez réellement couru droit devant vous, précisa Poirot, vous seriez arrivé au bâtiment principal, vous avez forcément dévié.

– Mr Marlowe est tombé à quinze pas de la porte

du corral, il a buté sur un billot de bois abandonné
là.

– Comment le savez-vous, Holmes ?

– J'ai retrouvé des traces de sang et de fibres provenant de son pyjama. J'ai fait quelques recherches
pendant que Miss Evans et Pete tentaient de gagner
la ville. Le sol, très sec, ne m'a pas permis de relever
des traces de pas suffisamment distinctes pour savoir
si Marlowe est tombé en s'éloignant de la maison ou
en y revenant. Je vous rappelle qu'au prix d'un crochet on peut atteindre l'arrière de la maison de
June, donc la terrasse, en venant du corral.

– Je suis tombé en courant droit devant moi, enfin
je le pensais, comme je l'ai dit. Je n'allais nulle part
ni n'en revenais. J'avais très mal à l'épaule et je crois
bien être resté un moment assis par terre. Où est le
problème ?

– Le meurtrier avait forcément une torche électrique, d'abord pour éviter les pièges du chemin,
ensuite pour éclairer la salle de bains de June, ce
qui lui a offert l'occasion de la tuer, c'est évident. Si
j'avais pu déterminer que vous étiez tombé en vous
éloignant d'ici, vous auriez été innocenté. En revanche, si des traces avaient indiqué que la chute s'était
produite alors que vous reveniez vers notre pavillon,
vous seriez devenu mon principal suspect. Malheureusement, la terre battue est très dure autour du
ranch et le séisme a soulevé pas mal de poussière,
ce qui a achevé de brouiller les pistes.

– Brillant, mon cher Holmes, reconnut Poirot. Si

le meurtrier s'est débarrassé de cette lampe torche, il devrait être possible de la retrouver.

– C'est fait, dit Holmes me sidérant une fois de plus. Il l'avait tout simplement jetée dans le massif de figuiers de barbarie qui pousse au-dessous de la terrasse, dans le jardinet. Au prix de quelques piqûres, j'ai pu la récupérer. C'est un modèle de l'armée, très puissant, il était vierge de toute empreinte.

– Je comprends maintenant le sens de vos remarques, Mr Holmes, dit Marlowe. Je ne voyais pas où vous vouliez en venir. Je vous jure sur la Bible que je ne suis pas monté sur cette fichue terrasse !

– Il serait intéressant de savoir s'il manque une lampe torche dans les bagages de l'un d'entre nous, dit Ellery. Ce matin, il me semble que tout le monde avait la sienne...

– Non, pas tout le monde, Mr Queen, repartit Holmes. Deux personnes n'ont pas eu l'occasion d'utiliser la leur, Marlowe précisément mais, sous prétexte d'aller prendre de ses nouvelles, j'ai eu l'indiscrétion de fouiller son sac de détective : la lampe y était. L'autre personne est Miss Evans qui a quitté sa chambre de façon aussi acrobatique que rapide. Toutefois, elle ne participait pas au jeu et n'était pas censée en posséder une.

Le vieux fouineur ! Un instant j'avais cru qu'il était allé perquisitionner dans ma chambre, ce type était capable de tout. Néanmoins, ce fut d'un ton aimable que je répondis :

– J'en emporte toujours une, Mr Holmes, par pré-

131

caution, mais je n'ai pas eu le temps de la prendre cette nuit, j'ai d'abord pensé à enfiler des baskets à cause des éclats de verre qui jonchaient le sol. Je me ferai un plaisir de vous montrer ma lampe avant le déjeuner.

– Pas de proposition obscène, me souffla Ellery en aparté.

Je me retins d'éclater de rire et je lui jetai un regard noir, enfin pas très noir.

– C'est juste, l'heure avance et mon estomac crie famine, s'écria Poirot. Il est vrai que nous n'avons eu que des émotions en guise de breakfast ce matin. Terminons donc, il ne reste que vous, lieutenant. Deux questions, d'abord votre emploi du temps, bien sûr, ensuite pourquoi étiez-vous le seul d'entre nous à être chaussé ? Miss Evans l'était également, mais elle nous a expliqué pourquoi.

– Je m'étais fait la remarque que vous étiez tous pieds nus, répondit Columbo, et je me suis dit que vous alliez attraper la mort. En ce qui me concerne, ma femme pourra le confirmer, j'ai la plante des pieds fragile et je suis incapable de marcher sans chaussures même sur du plancher. Dès que j'ai été réveillé cette nuit, j'ai été pris d'une trouille intense comme je vous l'ai dit et je n'ai eu qu'une idée : fuir. Instinctivement, j'ai enfilé mes mocassins, faute de quoi j'aurais été incapable de faire trois pas, c'est une de mes phobies.

– Une phobie du Lt Columbo, ou l'une des vôtres ?

– Une des miennes. Au moment du séisme, je vous jure bien que je ne pensais plus à interpréter un rôle, d'ailleurs ce matin je n'ai pas remis la lentille de contact qui simule l'œil de verre de mon personnage. Je crois qu'il n'est plus temps de jouer.

– Bien, où avez-vous fui ?

– Vers l'arrière du ranch, j'ai voulu m'éloigner le plus vite possible des bâtiments, de peur qu'ils ne s'effondrent. J'ai atteint la route que Miss Carol et Pete ont empruntée ce matin et je me suis arrêté là, transi et hors d'haleine. Je me suis assis sur une grosse pierre au bord du chemin et j'ai attendu de voir si d'autres secousses allaient se produire, j'en ai ressenti deux puis la terre a cessé de trembler et le froid m'a poussé à revenir ici. Ceci me range dans la liste des suspects, j'en ai bien peur.

Dolores apparut à la porte et Poirot l'interrogea du regard.

– *La comida* est servie à la salle à manger, señor.

– Merci, nous arrivons. Mes amis, je résume. Un alibi indiscutable : Kay Scarpetta. Deux admissibles : Holmes et Queen. Un contestable parce que familial : les domestiques. Les six autres personnes présentes en sont dépourvues, encore faut-il qu'elles aient eu un motif. Maintenant, allons nous restaurer, les cellules grises d'Hercule Poirot sont incapables de fonctionner sans un combustible approprié.

– Un solution à sept pour cent de cocaïne dans une seringue me conviendrait mieux, me glissa Holmes tandis que nous quittions la bibliothèque.

– Aujourd'hui, on sniffe. Vous voulez voir ma torche électrique ?

– Si cela ne vous ennuie pas.

– Venez.

– Je vous accompagne, dit Ellery comme s'il craignait que l'Anglais ne se jette sur moi pour violer la fragile petite chose que j'étais.

Trois minutes plus tard, Holmes redescendait, satisfait, du moins je le suppose, et El me serrait dans ses bras. Je le repoussai quand ses intentions devinrent plus précises, de toute façon habillée comme je l'étais maintenant, il ne risquait pas d'aller très loin :

– Désolée, mais je ne me nourris pas d'amour et d'eau fraîche. J'ai faim.

Il rit.

– Moi aussi. Juste un mot encore. Il y a seize chambres dans notre pavillon et nous sommes huit. Tu pourrais venir t'installer près de moi cette nuit, tu déposerais tes bagages à côté et ton corps dans mon lit.

– Nous verrons, dis-je en rajustant mon soutien-gorge.

Tout était froid, bien sûr, mais la table n'en était pas moins somptueuse pour autant : crudités, divers pâtés, dont du foie gras français me sembla-t-il – je suis mauvais juge, je le confonds toujours avec du Pal –, dinde sans marrons, fromages et salade de fruits. Le tout arrosé de chardonnay et de cabernet-sauvignon venus tout droit de Napa Valley. Que demander de plus ? Poirot bâfrait comme un porc, mais avec distinction. Holmes grignotait, de même que Maigret, pourtant il est gros cet homme ! Kay surveillait sa ligne, à son âge c'est normal, on prend facilement trois kilos et dix ans de plus. Le curé était positivement extatique et goûtait à tout, Marlowe et le lieutenant mangeaient sans entrain, peut-être le fait de ne pas avoir d'alibi les avait-il déprimés, ce qui n'était certes pas le cas de Brown. Ellery dévorait, on s'en serait douté. Quant à moi, passons...

– Quel est votre programme, Poirot, maintenant ? demanda Columbo.

– Je ne mène pas cette enquête, Dieu m'en garde, et notre ami Holmes semble bien plus avancé que nous. Néanmoins, puisque vous m'interrogez, lieutenant, j'aimerais faire connaissance de la victime.

– Que voulez-vous dire ? s'exclama Maigret. Vous étiez de ses amis...

– Certes, mon cher, certes. Je la connaissais de mon point de vue, pas du vôtre qui est peut-être différent. C'est pourquoi j'aimerais que chacun de nous dise ce que représentait June pour lui, quand et comment il l'a connue, etc. Aucune victime n'est innocente, sauf peut-être un chauffeur de taxi égorgé par un voyou. Il existe des liens unissant le coupable à celui ou celle qu'il a tué, pour les découvrir il faut connaître parfaitement les deux extrémités de la chaîne. J'ai toujours procédé ainsi.

– Ce n'est pas une mauvaise idée, approuva Columbo tandis que Holmes haussait les épaules.

– Et si vous disiez qui vous êtes réellement, vous, messieurs ? suggérai-je brutalement.

– Plus tard, mon enfant, plus tard, me répondit le Père Brown. Pour l'instant nous avançons encore masqués et l'un de nous porte un double masque.

– Pas d'autre objection ? demanda le Belge. Alors je pense que Ms Kay, ou Ms Helen, comme l'appelle la domesticité, pourrait commencer car, de l'avis général, c'est elle qui était la plus proche de la défunte.

Il s'écoutait parler avec un plaisir évident, ses petites mains croisées sur son ventre rebondi. On aurait cru voir un gros chat se prélasser au soleil malgré le froid qui régnait dans la pièce – la raison en était simple : plus de chauffage et vitres brisées. Kay ne parut pas autrement satisfaite de devoir parler de June, cela devait lui être pénible puisqu'elle semblait éprouver une affection sincère pour notre hôtesse. Elle était engoncée dans un manteau vert sombre qui la boudinait un peu à la taille. Pete avait fixé des feuilles de plastique transparent devant certaines fenêtres pour nous éclairer, mais cette installation de fortune laissait passer le froid. Heureusement que j'avais eu la bonne idée d'emporter un blouson matelassé, avec des collants et un jean je pouvais survivre.

– J'ai fait la connaissance de June dès l'année de son installation ici, il y a neuf ans. J'étais alors mariée à un cardiologue et nous vivions à San Fernando même. John McNally était cardiaque et il est devenu un client de mon mari, puis nous nous sommes rencontrés dans les réceptions mondaines données en ville, enfin nos relations sont devenues amicales et c'est John qui, le premier, nous a invités à venir passer un week-end ici. Deux ans plus tard, il a été emporté par un infarctus foudroyant, malheureusement prévisible, il mangeait, buvait et fumait trop, et je me suis beaucoup occupé de June. Elle m'a rendu la pareille bien plus tôt que je ne l'aurais imaginé, quelques mois seulement après la mort de John, lors de mon divorce qui m'a laissée brisée.

Elle eut un instant d'hésitation.

– Autant tout vous dire, et puis l'histoire est connue, mon mari m'a quittée pour une infirmière de vingt ans. Cela n'a rien d'inhabituel, direz-vous, un homme qui arrive à la quarantaine croit trouver une nouvelle jeunesse à travers une gamine. C'est vrai, mais c'était une négresse, une quarteronne très claire de peau et fort belle. J'ai été la risée de la ville et plus personne ne m'a reçue même si l'on affectait hypocritement de me plaindre, seule June m'est restée fidèle et je suis souvent venue me terrer ici pour pleurer et cacher ma honte. Dès que j'ai pu trouver un poste d'ORL dans une clinique de Los Angeles, j'ai quitté la région mais je suis souvent revenue voir June.

Il y eut un silence un peu gêné que rompit enfin Columbo :

– Votre mari et vous-même étiez-vous des amateurs de romans policiers ?

– Non, lui ne lisait que des revues médicales, moi
il m'arrivait de prendre un polar le soir avant de me
coucher, mais rarement. C'est June qui m'a peu à
peu initiée, toutefois je ne suis pas une spécialiste
comme vous, messieurs. J'ai choisi d'incarner
l'héroïne de Patricia Cornwell parce que c'est l'unique femme détective que je connaisse, en dehors de
la vieille Miss Marple, et puis elle est médecin alors
je me suis sentie en terrain familier. J'ai prévenu
June que je serais nulle pour identifier le coupable
de la murder party, elle a ri et répondu que je ne
serais pas la seule néophyte, mais que les experts
s'en chargeraient.

– Autrement dit, vous étiez ici plutôt en tant
qu'amie que pour participer au jeu de rôles.

– Oui, lieutenant, c'est exact. Qu'en déduisez-
vous ?

– Oh ! rien, m'dame, les déductions je laisse ça à
Mr Holmes. C'était juste pour savoir.

– Mrs McNally était-elle en bonne santé ?

Kay se tourna vers Poirot, étonnée par la question.

– Pourquoi me demandez-vous cela ?

– Pour savoir s'il était nécessaire d'abréger ses
jours ou si la nature devait s'en charger prochaine-
ment, coupa Holmes. Je puis répondre à cette question, Poirot : notre hôtesse était bâtie pour devenir
centenaire.

– Comme le savez-vous, mon cher confrère ?

– Son dossier médical se trouve dans le troisième tiroir de la commode de sa chambre, je l'ai examiné après que le corps eut été placé dans le cercueil fabriqué par Pete.

Je me demandai ce qui pouvait échapper au regard d'aigle du Grand détective. A la place du meurtrier, je commencerais à m'inquiéter sérieusement.

– C'est vrai, reconnut Kay, June avait une santé de fer, elle se plaignait seulement d'insomnies depuis son veuvage, ce qui devait correspondre à un syndrome légèrement dépressif, mais rien de sérieux.

– Qui hérite ? demanda Holmes avec sa brutalité coutumière.

– Je ne sais pas. J'ignore si elle a de la famille. Elle ne m'en a jamais parlé, je sais seulement que le frère de son mari est décédé.

– Jamais parlé de sa famille ? C'est surprenant, s'étonna Poirot. Voyons, que pouvez-vous nous dire d'elle, de ce qu'avait été sa vie avant son mariage avec McNally, de ses goûts, de sa personnalité ? Enfin, faites-nous, la découvrir comme si nous ne la connaissions pas.

– Je sais qu'elle avait été mariée une première fois, mais elle n'a jamais évoqué cette partie de son existence devant moi, comme si elle ne voulait pas faire revivre des souvenirs douloureux. Je pouvais comprendre cela, naturellement. Elle n'a jamais eu d'enfants, cela elle l'a souvent déploré : ce fut le regret de sa vie. Ce fait a également contribué à nous rapprocher car je suis dans le même cas.

– Et vous, Miss Evans ?

La question de Holmes me prit au dépourvu et je sentis Ellery se raidir. Lui aussi ressentait l'indiscrétion d'une telle intrusion dans ma vie privée. Bah ! apparemment, Kay donnait l'exemple de la franchise, alors je décidai de ne pas me formaliser, tout en faisant sentir que je trouvais cette demande déplacée, et je répondis :

– Pas plus d'enfant que de mari, Mr Holmes, et je ne le regrette pas. Désirez-vous également connaître le nombre de mes liaisons passées ?

– Pardonnez mon manque d'éducation, Miss Evans, simple curiosité. Il se trouve que je sais qu'Angela et sa sœur n'ont pas d'enfants non plus, autrement dit aucune des cinq femmes réunies sous ce toit n'en a eu, écart statistique curieux mais privé de toute signification dans le cas présent.

Pour une fois Kay me jeta un regard complice qui exprimait parfaitement ce que je ressentais : ce type était gâteux. Observateur génial peut-être, mais gâteux.

– C'est un drame lorsque Dieu ne bénit pas une union, dit le Père Brown, et j'ai toujours essayé de partager la souffrance des couples stériles. Mais Miss Carol, Angela et Dolores ne sont pas mariées, il me semble que vous allez trop loin, Holmes.

– Ne m'en veuillez pas, mes amis, j'ai un esprit

analytique et je ne m'intéresse pas assez à l'aspect humain des choses. Je suis désolé.

– C'est l'aspect psychologique qui compte, mon cher collègue, dit Poirot. Trouver de l'humanité quand on traque un criminel, il ne faut pas trop compter dessus.

– Il est étonnant que vous n'ayez aucune information sur le passé de June, Ms Kay, s'étonna à son tour Columbo. En neuf ans, elle a bien dû vous faire quelques confidences.

– Finalement assez peu, lieutenant. June s'intéressait beaucoup aux arts, à la littérature bien sûr, mais aussi à la musique, peinture, sculpture et nous visitions souvent ensemble musées et galeries. Je l'accompagnais au concert également et je connais parfaitement tous ses goûts artistiques. En revanche, je ne saurais vous dire si elle a exercé un métier ni les villes où elle a vécu. Elle n'était pas Californienne d'origine, cela j'en suis sûre, car elle vantait toujours notre climat par rapport à celui qu'elle avait connu enfant. Mais enfant où ? Je n'en sais rien, je sentais que mes questions n'auraient pas été les bienvenues. Elle était assez collet monté, vieux jeu même sur bien des points, en particulier pour tout ce qui touchait au sexe, et il y avait nombre de sujets que nous n'abordions jamais.

– C'est ennuyeux, son passé éclairerait peut-être le drame présent, observa Philip Marlowe. L'un de vous l'a-t-il connue avant son mariage avec McNally ?

– Oui, moi.

Tout le monde se tourna vers Maigret qui était resté jusqu'à présent muet, engoncé dans son gros pardessus, occupé à fumer sa pipe. Il me parut plus épais, plus lourd qu'auparavant, comme tassé dans son fauteuil.

– J'ai été...

Il n'alla pas plus loin, Angela ouvrit violemment la porte, en proie à une vive agitation :

– Venez vite, deux bikers sont là. Ils ont frappé Pete et tiennent Dolores sous la menace d'un revolver !

Chapitre 8

17 janvier - 15 heures

J'avais envisagé des ennuis possibles avec les motards, mais je ne pensais pas qu'ils surviendraient si vite. Sans doute avaient-ils tenté de quitter la région en remontant la route que nous avions empruntée, Pete et moi, ce matin et s'étaient-ils vus arrêtés par le pont effondré.

Tous, sauf Kay et moi, se précipitèrent à la suite d'Angela. Ellery se méprit sur mes intentions et me dit :

– C'est bien, reste là, surtout ne bouge pas.

Depuis la porte, Holmes me jeta un regard ironique et, comme s'il savait que j'allais les rejoindre, me cria :

– A bientôt, Miss Evans.

– Pourquoi dit-il ça ? s'étonna Kay qui, elle, était bien décidée à laisser cette affaire aux hommes.

Sans répondre, je la quittai pour grimper jusqu'à ma chambre, là je changeai mes baskets contre des chaussures spéciales de commando dont l'avant de la semelle avait été renforcé d'une plaque de métal. Je les appelais mes souliers de *tap dance*, mais ils n'évoquaient en rien la légèreté d'un Fred Astaire au cours d'un numéro de claquettes. Puis je retirai un instant mon blouson pour enfiler dessous un holster et mon pistolet, une balle engagée dans le canon.

– Vous êtes folle d'y aller ! me dit la jeune femme quand je repassai devant elle. Et pourquoi avez-vous changé de chaussures ?

– Montez sur le balcon de ma chambre, Kay, vous aurez une belle vue du spectacle. Quant à moi, eh bien disons que je représente la cavalerie, en cas de besoin.

Elle me regarda sans comprendre mais se leva pour suivre mon conseil. Dès que j'eus ouvert la porte de la grande cour, je vis que mon aide allait être nécessaire : la situation avait évolué. Pete était allongé par terre et Dolores le tenait dans ses bras. Deux bikers étaient là, leurs machines garées à quelque distance. Le punk au crâne rasé brandissait un revolver et en menaçait Philip Marlowe qui avait cru bon de prendre un des fusils de chasse de l'entrée. Une arme, c'est bien à condition qu'elle soit chargée, sinon elle devient plus dangereuse qu'utile, et les cartouches ne devaient pas se trouver dans le râtelier sinon Marlowe aurait tiré. Il posa lentement à terre l'engin inutile. Je fis claquer la porte d'entrée derrière moi pour dissiper le moment de tension qui s'était créé entre les deux groupes, puis j'avançai vers eux. Ellery eut un geste de mécontentement tandis que Holmes sourit comme pour exprimer sa satisfaction d'avoir prévu cet événement.

J'allai droit au punk, les mains éloignées du corps pour ne pas l'inquiéter.

– Qu'est-ce que tu veux, la meuf ? Qu'on t'emmène pour être baisée par de vrais hommes ?

– Écoutez, nous sommes tous bloqués ici, pourquoi nous battre ? Que voulez-vous d'abord ?

– C'est toi la proprio ? Je la croyais plus vioque. Bon, si c'est toi, écoute bien, je ne suis pas du genre patient et Phil non plus. On a froid et on a faim, alors on veut crécher ici, être chauffés et nourris. J'ai dit ça à ce vieux singe, ajouta-t-il en désignant Pete, qui m'a envoyé paître, alors je lui ai foutu un pain dans la gueule. Et voilà que le grand con arrive avec un fusil et cette bande de bourges endimanchés.

Je fis encore deux pas en avant, tout en ayant soin de ne pas me placer entre le groupe et lui, ce qui aurait pu l'inquiéter s'il n'avait plus pu les surveiller.

– Il a eu tort de prendre un fusil, c'est vrai, alors que fait-on ? On se massacre ? Un seul revolver ne sera pas suffisant pour nous tuer tous, fis-je remarquer.

Il parut hésiter et jeta un coup d'œil au dénommé Phil qui se contenta de ricaner tout en mastiquant de la gomme qu'il faisait parfois jaillir de sa bouche sous forme d'une grosse bulle rose. C'était un gamin déguingandé âgé d'à peine vingt ans, le cheveu blond filasse. Le punk qui me faisait face devait avoir cinq ou six ans de plus que lui et, à voir son regard brillant et les tics nerveux qui agitaient son visage, il était clair qu'il était chargé à mort.

– Tu vas venir avec nous, la meuf, en otage quoi ! Puis on rapplique avec les autres et tu nous trouves des pieux et de la bouffe. Si tes copains font les mariolles, on te descend. Si tout se passe bien, cette nuit tu seras à la fête, on a de la bonne came et on est tous montés comme des chevaux.

– D'accord, dis-je en m'approchant encore de lui.

– Carol, n'y va pas ! cria Ellery.

Le punk se marra.

– C'est ton mec ?

– Ça se pourrait.

Ellery et Holmes s'avancèrent en même temps, le premier pour me protéger sans doute, le second par calcul plus que probablement. L'Anglais savait que j'avais besoin de cette seconde où le punk détournerait les yeux de moi pour les reporter sur eux. Aussitôt ma jambe se détendit et le bout ferré de ma chaussure vint frapper le poignet qui tenait le revolver. On entendit les os se briser, le punk lâcha son arme en hurlant, alors je lui portai une clef au bras et d'un coup de coude je lui déboîtai l'épaule. Il s'effondra au sol en couinant comme un cochon qu'on égorge. L'autre voulut venir à son secours et tira un cran d'arrêt de sa poche, mais j'étais sur lui bien avant qu'il ait pu l'ouvrir. Il roula à terre avec moi et un étranglement classique eut vite raison de lui, il devint tout mou entre mes bras, ce n'était sûrement pas ce dont il avait rêvé.

Quand je me relevai, je vis Kay qui nous observait depuis mon balcon, stupéfaite, une main sur la bouche comme si elle avait crié de peur au moment de l'affrontement.

– Intervention opportune, messieurs, dis-je à Holmes et Queen.

– Vous vous en seriez tirée seule, j'en suis sûr, ma chère, me dit le Britannique tout en ramassant le revolver tombé à terre.

– Oui, mais il y aurait peut-être eu de la casse.

Ellery me serra dans ses bras, il paraissait aussi surpris qu'ému.

– C'est nous qui aurions dû faire cela, ma chérie. Je me sens honteux.

– Mieux vaut laisser agir les spécialistes, Queen. Ah ! voilà que ce jeune homme se réveille.

Je me retournai, le nommé Phil avait repris conscience et massait sa gorge douloureuse. L'autre gémissait toujours et, assis par terre, me regardait haineusement. Je m'approchai de lui et demandai :

– Comment t'appelles-tu, punk ?

Il me répondit par un déluge d'insultes et d'obscénités, et tenta de me cracher dessus.

J'allai à Phil et reposai la question, comme le gamin ne répondait pas, je l'empoignai par les cheveux et le soulevai du sol. Aussitôt il se mit à glapir :

– On l'appelle Crâne de Fer, m'dame. Par pitié, lâchez-moi, vous allez me scalper.

Je le laissai retomber.

– Tu es un champion du lancer du couteau, petit ?

– Je me défends, pourquoi vous me demandez ça ?

– Et un de tes copains est-il un champion ?

– Non, m'dame, pas spécialement. On n'a piqué personne.

Je revins vers Crâne de Fer, toujours assis par terre, qui tentait d'envelopper d'une écharpe son poignet brisé.

– Je ne suis pas la proprio, minus. Elle a été assassinée cette nuit d'un poignard lancé en plein cœur. Tu ne rôdais pas par ici entre quatre et six heures du matin, par hasard ?

Il parut sincèrement stupéfait et son compagnon aussi.

– Eh ! vous n'allez pas tenter de me mettre ça sur le dos. Cette nuit, j'étais sous la tente au pieu avec Susan, elle pourra en témoigner.

– Comme alibi on peut trouver mieux qu'une petite copine camée à mort. Quand les flics arriveront, tu me sembles tout désigné pour faire un coupable de premier choix.

– Salope ! On va revenir tous les cinq et on fera un rodéo sauvage ici, s'écria le motard en se remettant debout péniblement. Comme les Indiens quand ils attaquaient une ferme, on vous massacrera un à un, et toi, la pute, on t'enfoncera une cartouche de dynamite dans la chatte et on s'amusera à regarder tes tripes gicler à travers la cour.

Ce garçon avait de l'imagination, il ne se doutait pas que j'avais assisté au type de torture qu'il venait de décrire. C'était pire qu'horrible, généralement les femmes – des agents ennemis – devenaient folles avant que la mèche ait achevé de se consumer. Sur un point, en revanche, il avait raison, les motos pouvaient leur permettre de faire du rodéo et de nous menacer dès lors que nous quitterions les bâtiments.

– Pas mal vu, Crâne de Fer, cinq motos c'est beaucoup, mais je pense qu'il ne vous en reste que trois maintenant, ajoutai-je en désignant les deux véhicules garés plus loin.

Les deux *bikers* comprirent aussitôt, Phil se releva tant bien que mal et passa son bras autour de la taille de son camarade pour le soutenir jusqu'à leurs engins.

– Il faudra nous tuer pour nous les prendre, hurla le punk.

Je souris et entrouvris mon blouson pour sortir mon Sig Sauer dont j'ôtai la sécurité. Ellery et Holmes eurent le même geste avorté du bras pour me demander de ne pas tirer sur les gamins, mais avant qu'ils aient eu le temps de dire un mot, j'avais déjà crevé le pneu avant d'une moto et le pneu arrière de l'autre.

– Désolé, jeunes gens, il vous faudra rentrer à pied, et prévenez vos copains que j'abats le premier qui pointe son vilain museau par ici.

Pete Keyhoe n'était pas trop mal en point, un coup de poing à l'estomac suivi d'un crochet à la mâchoire l'avaient mis K.-O., il s'en remettrait. Kay refusa de l'examiner, toujours sa rancune envers les Noirs, et Ellery s'en chargea. Maintenant, soutenu par Angela et sa sœur, il nous avait rejoints dans la grande bibliothèque. Je sentais que j'allais devoir donner quelques explications, Holmes avait déjà compris quel était mon rôle auprès de June, les autres, par contre, me considéraient avec un ahurissement non feint.

– Vous êtes l'ange vengeur envoyé par Dieu, mon enfant, me dit le prêtre.

Il avait réussi à me surprendre, c'était bien la première fois qu'on me comparait à un ange, ou alors à celui de la Mort. Le plus perturbé de mes compagnons était sans conteste Ellery qui me jetait des coups d'œil à la dérobée comme pour s'assurer que c'était bien moi qui avais mis seule hors de combat ces deux voyous. Cela devait déranger son idée de la hiérarchie mâle/femelle, même s'il n'était pas spécialement machiste. Il se trouvait dans la position d'une poule qui a couvé un canard. Néanmoins, il n'avait pas lâché ma main lors de notre retour dans la maison de June, comme s'il voulait marquer par là qu'il me restait fidèle quoi qu'il arrive.

Comme je m'y attendais, ce fut Holmes qui prit la parole :

– Tout d'abord, je pense que nous devons tous ici un grand merci à Miss Evans de nous avoir tirés d'une situation qui aurait pu devenir grave. Ce garçon était drogué, cela se voyait, et n'aurait pas hésité à faire feu. Notre amie a fait preuve d'un sang-froid, d'un mépris du danger et d'une technique du combat rapproché qui nous ont tous laissés admiratifs.

Il marqua un temps puis reprit :

– J'avoue que j'imagine mal June McNally s'être liée d'amitié avec une personne aussi différente d'elle que Miss Evans. Je vois très bien June visitant des expositions avec Kay, pas accompagnant Carol dans un stand de tir ou dans un gymnase pour karatékas. Par ailleurs, et je ne dis pas cela pour vous blesser, ma chère, vous n'apparteniez pas à la même classe sociale, c'est évident.

Ellery remua sur sa chaise.

– Ne vous fâchez pas, Queen, je ne critique nullement cette jeune femme, tout le monde n'a pas la chance de naître dans une famille riche. Ce que je veux dire c'est que je ne pense pas que Miss Evans ait été invitée en tant qu'amie par notre hôtesse. Je ne suis même pas sûr qu'elles se connaissaient.

– Quand même ! s'exclama Columbo.

Je reconnus :

– Bien vu, Mr Holmes. J'ai rencontré pour la première fois Mrs McNally en arrivant ici avant-hier.

Il y eut quelques mouvements de surprise dans l'assistance.

– Je l'avais compris, reprit Holmes. Au détour de

nos conversations, j'ai posé quelques questions simples sur June à Miss Evans et elle n'a su répondre à aucune. Puis-je donc vous demander quel était votre rôle exact auprès de notre hôtesse : garde du corps, détective, chasseuse de primes ?

– Ou tueur à gages ? ajouta Kay à mi-voix, mais assez fort pour être entendue.

– Ça suffit, Helen ! s'écria Ellery, furieux au point d'avoir utilisé le véritable prénom de la jeune femme.

– J'ai tenu trois de ces emplois au cours de ma carrière, j'ai été garde du corps, détective et tueuse à gages. En revanche, jamais chasseuse de primes.

– Et elle l'avoue ! s'écria Kay, furieuse de s'être fait rabrouer par son ancien amant. Les tueurs à gages, on les envoie à la chaise électrique.

– Tout dépend pour le compte de qui ils travaillent, répondis-je calmement.

– Mais... mais qu'importe pour qui ? C'est toujours un crime de tuer quelqu'un, que je sache.

– Carol travaillait pour le gouvernement fédéral, dit Ellery à qui j'avais signalé le fait sans plus préciser.

– J'étais agent du service Action de la CIA. J'ai été mise à la retraite, comme beaucoup d'entre nous, du fait de l'effondrement du communisme à l'Est.

– Je n'en..., commença Kay, puis elle se tut.

– Tout s'explique ! s'exclama Poirot. Si je comprends bien, June craignait pour sa vie et vous a engagée pour la protéger au cours de la murder party.

– C'est exact, c'est pourquoi je ne l'ai pas quittée de la soirée. Je devais attendre votre départ à tous avant de m'en aller moi-même, le séisme a bouleversé nos prévisions.

– C'est vrai, June m'en avait informée en me demandant le silence, admit Kay. Ce qui ne vous empêche pas d'avoir pu être engagée comme tueur à gages par quelqu'un d'autre. Par ailleurs June ne m'a pas dit combien elle vous avait payée, ajouta-t-elle dans l'espoir de m'humilier.

Je sentis Ellery frémir et je posai ma main sur la sienne pour lui demander de ne pas s'en mêler.

– Rien. Elle devait reconnaître généreusement mes services, selon son expression, à mon départ. De toute façon, je n'ai pas su empêcher que le crime soit commis, aussi je ne mérite aucun salaire, disons que je suis devenue une invitée parmi les autres.

« Même si je n'appartiens pas à la même classe sociale », ajoutai-je mentalement.

– Mrs McNally vous avait-elle dit qui elle soupçonnait de vouloir la tuer ? reprit le Belge.

C'était la bonne question et cela faisait un moment que je me demandais comment y répondre. Soit je disais la vérité et le meurtrier ne bougerait pas, soit je laissais entendre qu'elle m'avait confié ses soupçons et il tenterait de me tuer. Solution souvent adoptée par les héros de feuilletons TV, mais ce type maniait trop bien le couteau pour que je m'y risque.

– Son sens de l'honneur et de l'amitié l'en ont empêchée, elle n'a absolument rien dit, sinon il y a longtemps que j'aurais appliqué le troisième degré à l'un d'entre vous.

– Ça, nous en sommes sûrs, dit Kay, vous devez être experte en tortures et coups bas.

J'ignorai la provocation et poursuivis :

– Elle craignait pour sa vie au cours de la murder party, c'est certain, autrement dit elle craignait que l'un d'entre vous vienne la tuer à la faveur du jeu. J'en conclus qu'elle soupçonnait seulement l'un des invités puisque mon rôle devait s'arrêter après leur départ, pas les domestiques. Par ailleurs, elle n'a fait aucune allusion à un danger extérieur, comme par exemple les bikers, dont je suis presque sûre qu'elle ignorait la présence dans la région.

– Ce qui nous laisse sept suspects seulement puisque Ms Kay a un alibi, observa le lieutenant. Encore que Holmes et Queen soient probablement à éliminer également.

– Si cette chère Carol dit la vérité, observa Kay perfidement. On a déjà vu des meurtres commis par des gardes du corps.

– C'est exact, répondit Columbo, du moins en théorie. Bon, admettons que vous seule soyez hors de cause, Ms Kay, si cela peut vous faire plaisir. Nous n'en sommes pas beaucoup plus avancés pour autant. Quelqu'un a-t-il une idée ?

–J'en reviens à celle que j'ai déjà exprimée, répondit Poirot, à savoir apprendre à mieux connaître la victime et les liens qui nous unissaient à elle. Le commissaire allait parler lorsque Dolores est venue nous avertir de l'arrivée des motards. A vous, Maigret.

–J'ai été son mari.
La déclaration fit sensation, nous allions enfin découvrir un aspect de June qui nous était tout à fait inconnu. Car, avant d'être l'épouse du riche Mr McNally, qu'avait-elle été ? Déjà membre de la *high society* ou serveuse dans un *drive in* ? Même Kay, qui la connaissait mieux que nous tous, était stupéfaite, jamais elle n'aurait imaginé le premier mari de June sous les traits de ce gros personnage mou à l'accent étranger. Cet homme invité pour la première fois, m'avait dit Pete.
– Mon nom ne vous dira rien et il est quasi imprononçable étant d'origine hollandaise : Gerhardt Van den Boogarde. J'ai passé une partie de ma jeunesse dans ce pays et en France, c'est ce qui a poussé June à me demander d'assumer la personnalité d'un commissaire de la PJ qui est très connu là-bas. J'avoue ne pas être un amateur de romans policiers comme vous tous, même si j'en ai parfois lu par délassement. Je m'égare déjà, c'est un peu compliqué, je ne sais par où commencer...
– Je vais vous aider, dit Poirot. Hollandais, Belge,

nous sommes presque compatriotes. D'abord, où et quand avez-vous connu June ?

– En 1953, à Chicago. C'était dans Michigan Avenue, peu avant d'arriver au lac, vous savez là où aujourd'hui il y a un passage souterrain. Elle se trouvait en compagnie de l'ancienne fiancée de mon frère, Fred, qui a été tué en Allemagne pendant la guerre. Il y a longtemps que je n'avais revu cette jeune fille et nous avons pris un verre ensemble tous les trois. June m'a beaucoup plu, elle était si jeune et si mince à l'époque, elle paraissait fragile, vulnérable. Je me souviens, elle portait un béret d'un drôle de vert...

La voix du gros homme s'altéra, on sentit qu'il était au bord des larmes. Poirot reprit :

– Que faisait-elle ?

– Elle était l'assistante du directeur d'une compagnie d'import-export. Je crois qu'elle n'avait pas réellement besoin de travailler, sa famille était riche, mais elle désirait être indépendante comme toutes les jeunes filles après la guerre. Moi, j'étais gérant d'un magasin d'articles de sport, je ne roulais pas sur l'or, mais enfin ça allait. Nous avons commencé à sortir ensemble et...

– Oui ? l'encouragea le petit Belge.

– June était très prude, Ms Kay l'a dit, je crois. Un baiser sur la joue, c'est tout ce qu'elle me permettait et, sur la plage du lac, elle portait toujours des maillots une-pièce, style Esther Williams, qui cachaient tout. J'étais fou d'elle, je croyais que c'était de l'amour, à l'époque c'était plutôt du désir mais je ne m'en rendais pas compte. Ah ! les nuits blanches que j'ai passées à l'imaginer nue dans mes bras... Alors, je l'ai demandée en mariage.

– Et elle a accepté ?

– Oui, malgré l'opposition de ses parents qui auraient préféré un meilleur parti. Elle a tenu bon et nous nous sommes mariés, mais je ne l'ai pas tenue nue dans mes bras pour autant. Elle n'a jamais accepté de m'appartenir que dans l'obscurité complète, la chemise de nuit retroussée jusqu'au bas-ventre. Pas question d'égarer mes mains vers ses seins, ses fesses ou des endroits plus secrets. Une éducation religieuse stricte l'avait persuadée que le sexe était une chose sale, uniquement réservée à la reproduction. Naturellement, elle ne ressentait aucun plaisir et cherchait tous les prétextes pour éviter d'avoir à accomplir ce qu'elle nommait la satisfaction des bas instincts. Au début, je m'en suis contenté, au moins elle vivait avec moi, ensuite...

Il eut un geste de la main.

Je profitai de son interruption pour chuchoter à l'oreille d'Ellery :

– Je songe sérieusement à adopter les mœurs sexuelles de June, surtout avec des satyres de ton espèce.

Il me jeta un regard moqueur et sûr de lui tandis que Maigret reprenait :

– Ensuite, je suis allé chercher ailleurs ce qu'elle me refusait. Nous continuions cependant à faire l'amour de temps en temps car elle rêvait d'avoir un bébé à elle. Au bout de deux ans environ elle a consulté une gynécologue, jamais elle n'aurait accepté d'être examinée par un homme, et on a découvert qu'elle était stérile. C'est alors qu'elle m'a dit qu'elle n'aurait jamais plus de rapports sexuels de sa vie, cela la dégoûtait trop et ne pourrait lui apporter l'enfant qu'elle désirait. Nous avons divorcé d'un commun accord, pourtant nous nous aimions, mais elle savait que la vie en couple serait désormais impossible pour elle. Je ne comprends pas comment elle a pu se remarier.

– Je crois pouvoir répondre à cette question, dit Kay. D'après ce que j'ai cru comprendre, John McNally était devenu impuissant après un premier accident cardiaque, un effet secondaire du choc, je suppose. June l'a épousé en toute connaissance de cause et devait s'en trouver fort bien d'après ce que vous nous dites, mais elle n'a jamais abordé directement ce sujet avec moi. Apparemment, elle était toujours aussi allergique à tout ce qui touchait au sexe. En se remariant elle savait qu'elle ne pourrait avoir d'enfants, cela elle me l'a dit sans préciser davantage, et aurait souhaité en adopter un, mais son mari a refusé d'introduire un « étranger » dans la famille.

– Pauvre femme ! s'exclama le Père Brown. Dieu nous a donné un sexe pour nous en servir, même si un médecin nous a déclaré stérile. Un miracle est toujours possible.

– Vous croyez donc aux miracles, mon Père ? demanda Columbo.

– Bien sûr, lieutenant, sauf en matière criminelle. Là, il y a toujours une explication rationnelle.

– Vous aviez gardé des relations avec votre ancienne femme ? demanda Poirot, désireux de revenir dans le vif du sujet.

– Au début, oui, puis j'ai quitté Chicago et je l'ai perdue de vue pendant de nombreuses années. Je me suis remarié, deux fois, sans plus de succès, même si mes nouvelles épouses n'avaient pas les inhibitions de la première, et j'ai eu un enfant de chacune d'elles. Ils sont grands maintenant. Je ne pensais jamais revoir June, puis, au mois d'octobre dernier, le hasard nous a mis en présence dans un hôtel de La Nouvelle-Orléans où j'étais allé passer quelques jours de vacances.

– Je me souviens, dit Kay, June avait eu envie de visiter les plantations de Louisiane et elle avait séjourné quelques jours à la Maison Dupuy dans le Vieux Carré. Elle était songeuse quand elle est revenue, mais ne m'avait rien confié.

– Je résidais moi-même au Marriott, un ami m'a invité à prendre un verre dans l'hôtel de June et nous nous sommes retrouvés dans le hall. Cela m'a donné un choc. Bien sûr, elle avait vieilli, surtout grossi comme moi, mais j'ai senti que je l'aimais toujours, que nous n'aurions jamais dû nous séparer. Je crois qu'elle l'a compris elle aussi, mais nous n'avons rien voulu brusquer. Elle m'a proposé de participer à cette réunion au même titre que les autres invités et j'ai aussitôt accepté. Si elle n'avait pas été tuée peut-être aurions-nous fini notre vie ensemble.

– En quelle année avez-vous divorcé ?

– Début 1956, monsieur Poirot.

– Quand June a-t-elle épousé McNally ? demanda le Belge à Kay.

– Le 8 juin 1968. Elle m'a souvent invitée pour ne pas rester seule ce jour-là.

– Avez-vous une idée de ce qu'elle a pu faire pendant la douzaine d'années où elle est restée seule, mon cher Maigret ?

– Ses parents ont disparu dans un accident d'avion trois ans après notre divorce, je la voyais encore à l'époque, et elle est devenue chef d'entreprise par la force des choses. Elle m'avait même offert un emploi dans leur firme, ils fabriquaient des appareils à air conditionné, les Collins & Co, mais j'ai refusé et suis parti pour Detroit. Je suppose qu'elle a continué à s'occuper des affaires de la famille.

– Mes parents ont eu un appareil de cette marque, il soufflait uniquement de l'air chaud ! s'exclama Marlowe.

– Je ne pense pas qu'on puisse en rendre June responsable, répondit le commissaire avec raideur.

– Nul n'y songe ! s'écria Poirot. Grand merci pour toutes ces précisions, mon cher Maigret, je commence à cerner beaucoup mieux la défunte. Mes amis, il est bientôt 16 h 30 et nous sommes debout depuis le milieu de la nuit. Que diriez-vous d'aller prendre quelque repos ? Nous pourrions nous retrouver à 19 heures pour le repas du soir.

Sa proposition fut accueillie avec satisfaction par tous. Je me permis une suggestion :

– Peut-être serait-il bon que quelqu'un remette en état de marche l'une des motos. Nous pourrions en avoir besoin.

– Je m'en occuperai dans un moment, Miss, dit Pete, et je la remiserai au garage.

Aussitôt après, Ellery m'entraîna d'une main ferme vers le pavillon des invités. Je l'avertis :

– Je dors d'abord.

– Nue dans mes bras, c'est ça qui cimente les bons couples, l'ex-mari de June l'a dit.

Chapitre 9

17 janvier - 18 h 20

Le bruit d'un moteur me tira de mon demi-sommeil. Ellery m'avait laissée me reposer une petite heure, mais s'était ensuite déchaîné sur moi et en moi. Je bondis du lit pour aller à la fenêtre et fus saisie par le froid, être nue dans les bras de son amant a effectivement du bon, à condition d'y rester. Je sentis ma chair se hérisser, tant pis, que les autres se débrouillent, il me fallait passer sous la douche et m'habiller d'abord. De toute façon, le ronflement d'une seule moto me parvenait, ce n'était pas l'attaque en règle annoncée, on devait pouvoir se passer de moi. J'entendis une voix féminine crier au-dehors :

– Il y a quelqu'un ? Inutile de sortir vos flingues, je suis venue seule.

– Que pouvons-nous pour vous, mademoiselle ?

C'était la voix de Holmes. Dans ce cas, aucun pro-blème, il était armé et capable de maîtriser la situation, aussi achevai-je de m'habiller tranquillement. Tout en grommelant, Ellery fit de même.

– Je veux vous parler, dit la fille. A tous.

– Allez à la grande maison, je préviens mes amis et nous vous rejoignons dans quelques instants.

– On ne me piquera pas ma moto ?

– Je vous en donne ma parole, mademoiselle.

J'entrouvris le contrevent de la fenêtre de notre chambre, c'était bien la gamine aux cheveux teint en rouge orangé que j'avais aperçue avec les autres bikers. Elle paraissait surexcitée, sous l'effet de la coke probablement, néanmoins elle obéit à Holmes, stoppa son engin et en descendit pour aller vers le bâtiment principal. Elle roulait des hanches en marchant, autant qu'une pute d'Hollywood Boulevard. Pete, qui avait été lui aussi attiré par le bruit du moteur, lui ouvrit la porte. Je vis Kay et le prêtre rejoindre l'Anglais. Les autres suivirent peu après, ils avaient dû s'étendre tout habillés, Ellery et moi étions bons derniers. Quand j'entrai dans la bibliothèque, la fille était en train d'apostropher Kay :

– C'est toi la garce qui a esquinté mon Jimmy ?

Kay fit non du doigt et me désigna. La gamine se retourna. J'étais derrière elle, bras croisés, jambes écartées, en jean et blouson de cuir, prête à un affrontement. Elle dut le lire sur mon visage car elle n'insista pas, et alla s'asseoir sur une chaise sans y avoir été invitée.

– C'est vrai que June McNally a été tuée, ou vous avez inventé ça pour faire peur à mon mec ?

– C'est vrai, mademoiselle, répondit Holmes. Comme vous pouvez le constater elle n'est pas parmi nous, en fait son corps est placé dans un cercueil sur une terrasse.

– Pourquoi vous la laissez dehors ?

– Il n'y a pas de chambre froide et un cadavre se décompose vite, même s'il ne fait pas chaud ici depuis que le courant a été coupé cette nuit.

– Ben, il fait plus chaud que sous la tente, surtout quand on n'a plus rien à bouffer. La coke, ça nourrit pas. Comment on l'a tuée, la vieille ?

– Un couteau lancé en plein cœur à une douzaine de mètres de distance.

– Douze mètres ! Aucun de nous n'en est capable, même Jim, et en plus il ne m'a pas quittée de la nuit.

– Nous ne sommes pas obligés de vous croire sur parole, mademoiselle.

– T'es chou avec tes « mademoiselle », l'Englishe. Bon, qui hérite alors ?

Incertain, Holmes se tourna vers Kay.

– Je n'en sais rien, dit cette dernière. Ni June ni son mari n'avaient d'enfants, alors un parent peut-être. Je sais seulement que John McNally avait un frère, aujourd'hui décédé.

– Pas d'enfants, que tu dis ma cocotte. Le vieux McNally a eu une fille, Susan Williams, à savoir Je, ou moi si vous préférez, enfin la jolie meuf qui vous cause. D'accord, il ne m'a pas reconnue, mais il a subvenu aux frais de mon éducation pour faire de moi une jeune fille distinguée comme vous pouvez le constater, bande de rigolos. Celui à la moustache il est vraiment gratiné, ajouta-t-elle en désignant Poirot, je croyais qu'on n'en faisait plus des comme ça depuis la Première Guerre mondiale.

Je fus la seule à rire franchement et le Belge me jeta un regard offensé.

– Quel âge avez-vous, Miss Williams ? demanda Kay.

– Oh ! appelez-moi Susan, ma chère. J'ai vingt-deux ans. Qu'est-ce que ça peut te foutre, pauvre conne ?

Cette fois, tous me foudroyèrent du regard quand j'éclatai à nouveau de rire. La fille me jeta un regard étonné.

– C'est vous la terreur ?

– Oui, petite. Il n'a pas dû payer cher pour ton éducation, le père McNally.

– C'est ce qui vous trompe, chère amie, j'ai fréquenté les meilleurs établissements, me répondit Susan avec l'accent, parfaitement imité, des *public schools* britanniques, réservées à l'élite. J'ai même pris des cours de danse et d'art dramatique et je sais utiliser les bons couverts lors d'un repas élégant. Mais tout ça me fait chier, c'est clair la meuf ?

– Pourquoi McNally a-t-il abandonné votre mère ? demanda Philip Marlowe que la gamine semblait également amuser. Seulement parce qu'elle n'était pas de sa condition ?

– Non, il n'était pas salaud à ce point, le vieux. D'accord, ma mère était serveuse dans un restaurant, c'est comme ça qu'ils se sont connus, mais ça collait bien entre eux. Faut dire qu'elle avait vingt-sept ans de moins que lui, qu'elle était gironde et qu'elle aimait baiser, elle aime toujours d'ailleurs, et c'est ça qui a tout mis par terre. Il a pas pu suivre le pauvre vieux, et il a fait un infarctus à la maison, il a failli clamser dans les bras de ma mère. Quand je dis dans ses bras... enfin, vous comprenez. Il s'en est tiré, mais après il pouvait plus ou n'osait plus baiser, alors maman ça ne lui convenait pas, évidemment. Elle, il faut lui en glisser une chaque soir. Ils ont rompu.

Tous les regards se tournèrent vers Kay.

– C'est possible, dit-elle, les dates correspondent et ce que je sais des antécédents médicaux de John aussi. Cette petite dit peut-être vrai.

Un large sourire se dessina sur le visage de Susan, malgré la fraîcheur ambiante elle retira son blouson et alluma une cigarette. Elle était très mince, peu de poitrine et ventre plat, une assez jolie fille n'était l'horrible couleur de ses cheveux et l'anneau accroché à sa narine gauche. Pire, à travers son T-shirt très collant, on distinguait les anneaux qui perçaient ses bouts de seins. Je vis Kay sursauter quand elle s'en aperçut, là nous étions sur la même longueur d'onde.

– Autrement dit, je suis ici chez moi, reprit Susan toujours souriante et à nouveau très jeune fille du monde, et vous êtes devenus des hôtes indésirables, mes bons amis. Je compte inviter mes jeunes camarades à venir me rejoindre et vous suggérer d'aller croupir sous la tente à leur place. Que pensez-vous de cet arrangement ?

– Nous ne saurions nous y opposer, répondit calmement Holmes, dès que vous aurez fait reconnaître vos titres de propriété, naturellement.

La fille eut un petit rire.

– Il est bien le British, vraiment classe. Je ne m'attendais pas à ce que vous partiez de toute façon, mais vous pourriez nous faire une petite place et nous donner de quoi manger.

Nous nous consultâmes tous du regard.

– Il serait inhumain de refuser, dit Poirot exprimant, je pense, le sentiment général.

Enfin le leur, moi j'aurais volontiers laissé crever dehors cette bande de drogués.

– Il faut s'assurer qu'ils ne viendront pas avec des armes, dit Ellery, aussitôt approuvé par les autres.

– Ceci me regarde, messieurs, dis-je, je m'en charge. Incidemment, cette innocente enfant nous a fourni un très beau motif pour le meurtre. Si elle dit vrai, c'est à elle que le crime profite.

– L'innocente enfant te dit merde, espèce de Schwarzie femelle. Je suis myope et je raterais une vache à trois mètres avec un flingue, alors avec un couteau...

– Vous peut-être, mais il n'en va pas forcément de même pour votre copain Jim, dit Holmes. La réflexion de Miss Evans m'était naturellement venue à l'esprit, cela ouvre un champ nouveau à nos investigations. Mrs NcNally était-elle informée de votre présence si près de l'hacienda ?

– La vieille ? Sûrement pas, elle n'a jamais dû entendre parler de moi, c'est pas des choses qu'on raconte à sa femme. Mais on vient souvent par ici, tous les bikers font ça, le terrain est idéal pour la moto.

Je me levai.

– Bon, je vais aller chercher ces gamins avec Susan.

– Je peux vous accompagner, Miss, suggéra Pete. La moto confisquée est en état de rouler, j'ai changé la roue.

– Inutile, j'irai seule. Ils ne sont que cinq, j'ai l'avantage du nombre.

– Elle est dingue, celle-là, dit Susan. Vous êtes tous des bourges ici, pourquoi vous avez une tueuse avec vous ?

– Viens, petite, nous prendrons chacune une moto et je t'expliquerai en route.

La nuit était déjà tombée et il nous fallait rouler lentement pour éviter les profonds nids-de-poule qui creusaient le chemin. J'expliquai à la gamine qui étaient les gens qu'elle avait rencontrés à l'hacienda.

– Ils sont vraiment tarés ces mecs, s'exclama-t-elle à la fin. Alors l'Englishe se prend pour Holmes et le ridicule bonhomme à la moustache cirée pour Hercule Poirot ! Des malades, voilà ce que c'est. Vous les connaissiez avant de venir ?

– Non, aucun.

– Et vous vous en êtes fait un sur-le-champ, vous êtes une rapide. Qui représente le type qui vous serrait de près ?

– Ellery Queen.

– Oh ! sans son pince-nez on ne peut pas le reconnaître. Il est pas mal, votre mec, un peu vieux mais pas mal. Enfin, ça va pour une femme de votre âge.

Si elle croyait me mettre en colère, elle se trompait. Quand je suis en mission, et c'était le cas, rien ne peut m'atteindre, je n'ai qu'une idée en tête : le but fixé. Je ralentis légèrement, ainsi elle ne pourrait plus me parler, à moins de se retourner, ce qui était impossible en raison de l'état de la route. Susan ne chercha d'ailleurs pas à ajouter autre chose et se contenta de zigzaguer pour éviter trous et fondrières. Un long moment s'écoula avant que nous n'arrivions au sommet de la petite hauteur d'où l'on apercevait le campement. A cette heure on voyait seulement les flammes du feu de bois que les motards avaient allumé pour se réchauffer. En revanche, les quatre garçons devaient bien voir la lumière des phares des motos s'avancer vers eux dans la nuit. J'entrouvris mon blouson afin de pouvoir attraper plus facilement mon pistolet dans son holster.

Susan s'arrêta pour me laisser arriver à sa hauteur.

–Je passe devant pour les mettre au courant et leur demander de ne pas faire les imbéciles.

– Tu es devenue bien raisonnable.

– Je sais où est notre intérêt, je ne suis pas idiote. Elle lança sa machine et descendit plus rapidement vers leur campement. Sans doute connaissait-elle la route par cœur, car je frôlai des trous béants en la suivant au ralenti. Quand j'arrivai près du feu de bois autour duquel ils étaient réunis, je m'arrêtai mais sans couper le moteur ni descendre de machine. Les garçons paraissaient plus gelés qu'agressifs dans la lumière des phares, ils tournèrent vers moi un visage interrogateur.

– Si vous avez des couteaux, coups-de-poing ou flingues, laissez-les là. Personne ne risque de vous les voler et une fois à l'hacienda je vous fouillerai, je vous préviens.

Deux des gamins retirèrent des crans d'arrêt de leur poche et les jetèrent sous une tente, Phil décrocha de sa ceinture un nunchaku japonais qui y était accroché. Leur chef, qui avait maintenant le bras en écharpe et le poignet bandé, ne bougea pas, sans doute par bravade. Je lui avais pris son flingue, mais il avait sûrement un couteau, quand on bivouaque dans la nature, il est indispensable d'en posséder un.

– Ça vaut aussi pour toi, Crâne de Fer. Il y a deux toubibs parmi nous, alors ne fais pas le malin, tu as plus besoin de nous que nous d'un débris comme toi.

– J'peux pas l'attraper, vous m'avez cassé le poignet, venez le chercher vous-même.

– Susan !

171

Elle comprit l'ordre sans que j'aie besoin d'en dire davantage et se mit à genoux pour retirer le cran d'arrêt de la poche de son petit copain puis, après me l'avoir montré, elle le jeta avec les autres. Phil aida son chef à se remettre debout et l'installa à l'arrière de sa moto. Apparemment ce pauvre mec aurait cru déchoir s'il avait été conduit par une fille, même s'il s'agissait de sa meuf pour employer leur jargon.

– Allez, en route. Susan, tu passes devant, même allure qu'à l'aller, les garçons derrière et je ferme la marche. Un comité de réception vous attend et le râtelier d'armes du vieux McNally contient assez de flingues pour soutenir le siège de Fort Alamo. Alors, tenez-vous tranquilles. ¡ *Andiamos !*

Le cortège s'ébranla dans la nuit, la jeune fille devant, suivie de près par Phil et le chef, puis à quelque distance venaient les deux autres et moi dans le sillage de leur roue arrière. La formation fut maintenue jusqu'à l'arrivée. Pete Keyhoe et Philip Marlowe, des fusils en bandoulière, certainement chargés cette fois, nous attendaient. Ils nous firent signe de contourner le bâtiment principal et de nous diriger vers l'arrière. La nuit noire modifiait l'aspect de la maison, je reconnus enfin le corps de bâtiment où était située la terrasse d'où l'on avait lancé le poignard sur June, et où Ellery et moi nous étions « attardés ».

– Il y a des chambres ici, au rez-de-chaussée, m'expliqua Pete une fois qu'il nous eut fait pénétrer dans une grande pièce encombrée d'instruments de jardinage, de pots, de bulbes et de graines divers.

Kay et Ellery nous y attendaient, sans doute pour s'occuper du blessé. Crâne de Fer se laissa tomber sur une chaise, assez pâle. Je m'assis à mon tour.

— Une minute, dis-je comme Pete et Marlowe voulaient entraîner nos nouveaux hôtes. Toi, à poil.

Je m'étais adressée à Phil car j'étais certaine qu'il obéirait, je l'avais déjà maté. Il quêta du regard l'appui de ses camarades, en vain, alors il commença à retirer ses vêtements.

— Fouillez-le, ordonnai-je à Pete.

Il trouva un couteau planqué dans la poche intérieure du blouson. J'eus un sourire appréciateur, mais ne fis aucun commentaire. Phil se tenait nu et frigorifié au milieu de nous, les mains réunies en coquille devant son sexe pour le cacher.

— Rhabille-toi. A ton tour, dis-je à un autre. Quel est ton nom ?

— Peter, m'dame et lui c'est Jo.

Nous récupérâmes encore un cran d'arrêt sur le nommé Jo, son camarade n'avait rien.

— Bon, Ellery, Philip et Pete, conduisez ces jeunes gens à leur chambre, mademoiselle va faire du strip-tease.

Susan émit un petit ricanement.

— Oh ! je me serai bien dépoilée devant eux, ça ne me gêne pas. Vos amis auraient vu ce qu'est une minette à la chair et à la poitrine fermes. Vous, vos gros nibards doivent pendre comme des pis de vache.

– Tais-toi et déloque-toi.

Elle fut nue en un instant. Il est vrai qu'elle ne portait pas de sous-vêtements. Ses seins n'avaient aucune peine à tenir parfaitement, elle n'en avait presque pas. Leurs gros tétons étaient traversés par des anneaux d'or. Un autre était serti dans son nombril et deux derniers anneaux pendaient aux lèvres de son sexe rasé. Vraiment une dingue du piercing. Elle écarta les jambes de façon provocante pour que Kay et moi puissions mieux voir, son mec jeta un coup d'œil indifférent, il connaissait déjà.

– Méfiez-vous, ça peut s'infecter, lui dit Kay en désignant les anneaux de poitrine, et surtout n'y suspendez rien, ça pourrait vous abîmer les mamelons à vie.

– Ouais, je sais, j'suis pas totalement nase. J'ai des copines qui se font attacher par leurs anneaux, elles sont dingues. Bon, moi je caille, alors vous admirerez ma beauté une autre fois. Mes vêtements, SVP.

Je les lui rendis après les avoir examinés, elle n'avait rien de suspect sur elle. Kay conduisit Crâne de Fer à une des chambres où l'attendait Ellery, c'est là qu'ils devaient remettre en place son épaule. Je les accompagnai au cas où ma présence aurait été nécessaire. Susan nous aida à déshabiller son ami, ce qui n'alla pas sans mal car chaque mouvement du bras droit arrachait un gémissement au garçon. Ensuite je le laissai aux mains des toubibs, j'avais néanmoins récupéré un joli poignard de commando lacé contre sa cuisse, différent malheureusement de celui qui avait mis fin aux jours de June.

– Bah ! je ne pouvais pas le lui enlever dehors, je n'allais pas déshabiller Jim sur place, dit la gamine sans se troubler.

Peu après, un hurlement de souffrance nous apprit que l'opération était terminée. Pete promit aux gamins qu'il allait revenir leur porter un repas froid puis nous les laissâmes autour de Crâne de Fer allongé sur son lit.

– Cette partie du bâtiment communique-t-elle avec la maison principale, ou faut-il passer par l'extérieur ? lui demandai-je.

– C'est une fantaisie de l'architecte. Un couloir se glisse entre deux murs à l'extrémité du jardinet où je me tenais pour ramasser le poignard lors des essais de reconstitution du crime.

– La porte ferme ?

– Il y a une clef mais... cela suffirait à arrêter le blessé et la jeune fille, pas les trois autres. Que craignez-vous ?

– Qu'ils s'introduisent dans la maison, tombent sur les armes accrochées au râtelier et s'en emparent.

– Elles ne sont pas chargées, observa Philip Marlowe. Je m'en suis aperçu à mes dépens. Pete a seulement apporté des cartouches pour les deux fusils que nous avions en main à votre arrivée.

– La patronne avait peur des armes à feu et m'a

175

fait placer dans une remise toutes les munitions dès la mort de son mari. Elles sont enfermées dans des caissons métalliques dont les clefs se trouvent dans ma chambre. Peu probable qu'ils les trouvent, néan-moins je vais les mettre en sûreté.

– Peut-être serait-il prudent de garder ces fusils chargés dans notre pavillon, reprit Marlowe, avec le pistolet de Carol, et le revolver du motard ramassé par Holmes, nous pourrions faire face à toute attaque.

– Certainement, monsieur. Cela suffira-t-il ?

– Savez-vous tirer, Queen ?

– J'ai grand peur que non.

– Moi non plus, dit Kay.

– C'est bien ce que je pensais, Poirot doit être dans le même cas, et ne parlons pas du prêtre. Il reste Columbo qui m'a dit être bon tireur, ah ! et puis l'ancien mari de June. D'accord, Pete, prévoyez-en un autre pour lui.

Pendant que nous revenions vers la bibliothèque où nous attendaient nos amis, je laissai de l'avance aux autres et pris Ellery à part.

– Tu vas être déçu, mais je préfère rester dans ma chambre cette nuit. D'abord, je suis crevée par cette interminable journée, ensuite tu as contribué à m'épuiser, agréablement certes, enfin je veux être là en cas d'incident avec les gamins. Je ne tiens pas à ce qu'ils se livrent à du vandalisme ou fassent main basse sur la panoplie d'armes blanches. Tu comprends ?

– Je comprends, mais j'avoue que j'aurais préféré passer la nuit en te tenant dans mes bras.

– Je sais. Demain je viendrai faire la sieste avec toi, c'est promis.

Cette promesse fut suivie d'un long baiser passionné. Ce type était incroyable, une nouvelle fois je me sentis fondre et je dus faire appel à toute ma volonté pour ne pas revenir sur ma décision. Au bout du couloir, j'aperçus Marlowe qui s'était retourné et nous observait, goguenard. Tous des voyeurs, ces ersatz de détectives.

Quand j'entrai dans la bibliothèque, un agréable feu de bois pétillait dans la cheminée. Dire qu'il réchauffait la pièce serait exagéré, mais il combattait l'humidité qui s'installait avec la tombée de la nuit. Je venais de procéder à une tournée de vérification avec Pete. Les bikers avaient mangé et jouaient aux cartes sur la table de la salle où je les avais fouillés. Crâne de Fer paraissait aller mieux, d'autant que la main de Susan était glissée ostensiblement dans sa braguette.

– Je la tiens au chaud pour tout à l'heure, me dit-elle.

Une fois la porte de communication des deux parties du bâtiment fermée à clef par Pete, j'allai chercher une lourde chaise et la calai contre la poignée. Cela n'arrêterait pas un intrus mais le bruit que ferait la chaise en s'effondrant me réveillerait. Pete me conduisit dans une remise, près de l'écurie, et me montra où étaient dissimulés les caissons de munitions : sous des bottes de paille. Puis il rentra dans la maison et je le suivis à l'étage où il me conduisit à une sorte de débarras. Les clefs des caissons étaient planquées sous une latte du plancher et il avait placé par-dessus une malle pleine de vieux vêtements. Il faudrait des heures, voire des jours de recherche, avant de parvenir à les localiser.

– Tout va bien, Miss Evans ? me demanda Holmes quand je rejoignis les autres.

– Les risques ont été réduits au minimum, de plus ces jeunes gens ne m'ont pas paru d'humeur belliqueuse, et Susan songe à des assauts amoureux qui devraient contribuer à calmer les ardeurs de Crâne de Fer. Si la terre consent à ne plus trembler – j'ai encore senti une petite secousse tout à l'heure –, nous devrions passer une nuit calme.

Dolores arriva avec un plateau chargé de coupes de champagne, ce qui eut le don de faire briller les yeux du Père Brown. Ce breuvage allait le rendre prolixe comme la veille, il avait raison de se limiter à un seul verre, je crois qu'il aurait été vite pompette. Dès qu'il l'eut vidé, il s'approcha d'Ellery et moi et nous dit d'un air réjoui :

– Je ne veux pas être indiscret, mais si vous décidiez de vous marier et que l'un de vous soit catholique, ce serait une joie pour moi que de célébrer le mariage.

– Je suis catholique, mon Père, répondit El, et je

178

suis très désireux d'épouser cette jeune femme. Ne pourriez-vous procéder à la cérémonie ici même ?

– Hé ! il faut d'abord le consentement de la mariée, messieurs, et, accessoirement, une licence de mariage. En admettant que Mr Queen arrive à me décider, où pourrions-nous vous retrouver, mon Père ?

Je commençais à en avoir assez de ne pas connaître l'identité réelle de tous ces gens, c'était l'occasion de pousser l'un d'eux à se démasquer. Un pieux mensonge, en quelque sorte.

– A Sausalito, demandez le Père Owens. C'est mon véritable nom, ajouta-t-il d'un ton d'excuse.

J'enfonçai mes ongles dans la main d'Ellery pour l'empêcher de parler. Il émit un vague gargouillis, mais comprit le message, s'arrêta et reprit après avoir fait semblant de s'éclaircir la voix :

– Nous n'y manquerions pas, mais j'ai peur que cette jeune femme n'ait la tête aussi dure que le tranchant de la main.

– Dieu saura la guider, dit le prêtre.

Il fut interrompu par Dolores qui annonçait :

– Le dîner *ya esta servido.*

Tout en nous rendant à la salle à manger, également égayée par un feu de bois, je glissai à l'oreille d'Ellery :

– Il n'y a aucun Père Owens à Sausalito. Je ne fréquente pas l'église bien sûr, mais c'est une toute petite ville et j'en aurais entendu parler.

– Pourquoi aurait-il menti ? Nous ne lui deman-
dions rien.

– Je ne sais pas.

– Bon, je viendrai te voir à Sausalito et, s'il y a un
Père Owens, Brown ou autre chose, il me conviendra
tout à fait comme officiant. Tu n'auras qu'un mot à
dire : oui.

– Il n'y a pas que moi qui aie la tête dure, tu
connais ma réponse, c'est *niet*. Peut-être t'invite-
rais-je dans ma villa de Sausalito, je dis bien : peut-
être, mais dans la mesure où nous ne nous appro-
cherons pas à plus de cent mètres d'une église.

Holmes, qui avait entendu ma dernière réplique,
dit en souriant :

– J'ai l'impression que notre amie est plus intéres-
sée par la chasse à l'homme que par celle au mari.
Signe des temps, Queen, la matriarchie où la femme
pourra se passer du mâle est en marche, j'en ai
grand peur.

– Êtes-vous marié, Mr Holmes ? demandai-je.

– Non, j'ai connu une jeune fille il y a longtemps,
et... elle ne s'appelait pas Irène, ajouta-t-il de façon
assez brusque avant de nous quitter.

– Pourquoi a-t-il dit ça ? demandai-je.

– Allusion à Irène Adler, *darling*, qui fut la seule
femme à susciter l'intérêt de Sherlock Holmes.
C'était une aventurière, bien entendu.

Au fond, n'en étais-je pas une, moi aussi ?

Chapitre 10

18 janvier - 8 h 30

J'étais réveillée depuis un moment déjà quand on frappa à la porte de ma chambre. Ce devait être Ellery, la veille au soir il avait subtilisé un double de la clef de la maison sous le nez de Dolores et comptait bien venir me rejoindre à l'aube. Je tendis machinalement la main pour allumer la lampe de chevet et, miracle, la lumière jaillit : le courant avait été rétabli. Je rejetai drap et couverture, la température était agréable, le chauffage fonctionnait de nouveau. J'avoue que la perspective d'être aimée par El dans ces conditions ne me déplaisait pas. J'ouvris la porte.

— Tu n'es...

Je m'arrêtai net dans mon élan, c'était Kay qui se tenait devant moi. Elle portait un peignoir en éponge sur le bras.

— Ces messieurs dorment encore, les hommes sont de petites natures, moi je suis toujours matinale. Que diriez-vous d'un sauna pour nous décrasser ?

June en a fait installer un et je l'ai souvent utilisé, seule, bien qu'il soit prévu pour deux personnes. Elle était trop pudique pour se montrer nue devant moi, mais je suppose que vous n'avez pas ce genre d'inhibition.

La proposition me prenait au dépourvu. Pourquoi cette offre amicale, cette fille me haïssait ? D'un autre côté, une brève douche froide la veille au soir ne m'avait pas convenablement nettoyé la peau, alors un sauna n'était peut-être pas une mauvaise idée.

– D'accord, je vais aux toilettes et je reviens.

Elle me tendit le peignoir et, une fois de retour, je m'en enveloppai pour la suivre au sous-sol où se trouvait le sauna. Une petite antichambre permettait de se déshabiller et d'accrocher ses vêtements. Kay venait du pavillon des invités et était vêtue, je fus nue avant elle et j'eus le temps de l'observer. Elle était réellement bien faite pour une femme qui devait avoir atteint la quarantaine, en franchissant la porte du sauna elle m'effleura le bras de la pointe d'un sein. Le geste avait été intentionnel à n'en point douter, cette fille était-elle bisexuelle ? J'en doutais fortement, je croyais plutôt qu'elle voulait savoir si moi, je l'étais, et en tirer profit pour reprendre Ellery. De toute façon, j'aurais préféré baiser avec une chèvre qu'avec cette hyène.

Je m'allongeai sur un des deux bancs de bois qui se faisaient face et Kay alla jeter de l'eau sur les pierres brûlantes pour humidifier l'atmosphère. Elle revint se coucher sur l'autre banquette et nos corps se couvrirent de sueur. Le premier instant de suffocation passé, on s'habitue et elle se redressa sur les coudes pour me demander :

– Qu'avez-vous pensé de la soirée d'hier soir ?

– Instructive, mais moins que je l'aurais espéré.

La veille, les invités avaient poursuivi le récit de leur rencontre avec les McNally, décrit June à leur façon et expliqué leur présence à la murder party. Poirot s'était exprimé en premier, l'air satisfait d'un matou repu. Il se nommait Lorenz M. Stillborn III, âgé de cinquante-trois ans, et était l'héritier d'une riche famille d'industriels du Nord. N'ayant jamais eu besoin de travailler, ses capitaux le faisaient pour lui, il avait cherché un dérivatif à l'ennui dans sa passion pour le roman d'énigme. C'est ainsi qu'il était entré en relation avec John McNally, d'abord épistolairement, puis ils s'étaient rencontrés à une convention d'amateurs tenue à Boston, la ville natale d'Edgar Poe, le créateur du genre. June accompagnait son mari et tous trois avaient sympathisé, mais ils ne s'étaient revus ensuite qu'à de rares occasions. C'est ce qui avait poussé « Hercule Poirot » à demander à chacun d'entre nous de parler de notre hôtesse car lui-même la connaissait assez peu.

– On n'est pas tenu de le croire sur parole, dis-je à Kay tandis que la sueur sourdait de tous les pores de ma peau.

– Certes non. Avec sa morgue et son affectation, le bonhomme ne m'est guère sympathique. Je me demande si son personnage est bien décrit ainsi. J'ai certainement dû lire des Agatha Christie étant gamine, mais je n'en garde aucun souvenir.

– Moi non plus, j'en ai peur. Je n'aime pas les polars, je préfère les romans d'amour.

– Ça ne m'étonne pas de vous ! Je me demande bien ce que Steve vous trouve, à part vos gros nichons. Et une ex-barbouze, en plus... Les hommes sont d'un bête !

– Peut-être préfère-t-il tout simplement une femme de son âge, répondis-je perfidement.

Après cet échange, une période de silence s'ensuivit, et je fermai les yeux aveuglée par la sueur qui coulait de mon front ; malgré tout, je commençai à me sentir bien.

Le lieutenant Columbo, de son vrai nom Luigi Lambrusco, possédait de nombreux hectares de vignobles dans la Napa Valley où il essayait de retrouver la saveur des chianti, valpolicella et barolo de l'Italie de ses grands-parents. Il précisa avec fierté qu'il était marié et père de trois enfants. Il était venu au roman policier grâce à la TV, le personnage de Columbo l'avait attiré car il était d'origine italienne comme lui, ensuite il s'était intéressé à tous les détectives de l'écran puis de la littérature. Il avait fait la connaissance de June cinq ans auparavant, après son veuvage, au cours d'une vente de charité. Le hasard les avait fait se joindre à un groupe qui parlait de séries policières, que ce soit les *serials* des années quarante, *The Four Just Men, The Adventures of Ellery*

Queen, The Shadow, ou les feuilletons de la télé tels *Charlie's Angels, Miami Vice, The Saint* ou *Mannix.* June et le signor Lambrusco avaient rivalisé d'érudition. Ils s'étaient revus plusieurs fois, avec Gigliola son épouse. June était allée chez eux, avait goûté à leur vin et elle les avait invités à passer deux week-ends à l'hacienda. Elle s'était montrée délicieuse avec les bambini, et leur avait dit que le grand regret de sa vie était de ne pas avoir eu d'enfants. Ce fut la seule confidence personnelle qu'elle se permit. Notre Columbo n'en savait pas plus sur June et le regrettait, il avait eu le sentiment de perdre une amie dont il aurait pu être proche, si sa femme et lui avaient su se montrer plus chaleureux.

— Le lieutenant m'a paru convaincant, dit Kay au bout d'un moment, comme si nos pensées avaient suivi des cours parallèles. Il ne s'est certainement jamais rien passé entre eux, Columbo a vingt ans de moins qu'elle et, si June a eu deux maris, elle n'a jamais eu d'amant, j'en suis sûre. Il n'y a pas eu d'autres relations que celles qu'il a décrites.

Ces réflexions me surprirent, cette femme ramenait tout au sexe, jamais je n'aurais été imaginer qu'il ait pu exister autre chose qu'une simple amitié entre le vigneron italien et notre hôtesse. Je négligeai de répondre sur ce point précis.

— Ce garçon est d'un commerce agréable, quoique parfois presque aussi pénible que son modèle, et j'ai grand peur que sa chère épouse ne soit un boulet aussi lourd à traîner que l'invisible Mme Columbo.

– Ça, c'est certain. Toutes les mammas italiennes sont ainsi faites. Je ne devrais pas dire cela, Kay Scarpetta est supposée en faire partie, mais c'est un personnage différent, sans enfant et très américanisé. C'est pourquoi je me sens proche d'elle, même son arrogance et son côté parano ne me déplaisent pas. Qu'avez-vous pensé des explications de Philip Marlowe ?

– Encore un qui connaissait à peine June, à croire qu'elle n'invitait que des inconnus ! Remarquez, je puis difficilement trouver cela suspect puisque je ne l'avais moi-même jamais rencontrée. Cela me surprend néanmoins.

– Non, c'est normal. Elle cherchait à renouveler chaque fois les invités des murder parties, ce qui explique qu'elle y conviait souvent des gens qu'elle connaissait peu. Les amis proches venaient à d'autres occasions, en petit comité. Jusqu'à présent j'avais toujours refusé de participer à ce jeu, mais cette fois June avait tant insisté... Si j'ai bien compris ce Marlowe... Comment s'appelle-t-il déjà ?

– Gary Kopielowski, ou quelque chose comme ça.

– Ah ! oui, encore un nom bien américain. Ce Marlowe est le fils de l'associé de James McNally, le frère de John. June évoquait très rarement son beau-frère, je crois qu'elle ne l'appréciait guère. Je sais qu'il avait assisté à leur mariage, mais j'avais eu l'impression qu'ils s'étaient ensuite perdus de vue, elle ne m'en a reparlé qu'au moment de son décès.

« Philip Marlowe » nous avait appris que James

McNally, mort d'un cancer de la prostate deux ans auparavant, avait dirigé un chantier naval de plaisance en association avec son père près de Westlake Village, au nord de L.A. Il avait rencontré June le jour de son mariage avec John alors qu'il n'avait pas encore sept ans. Il se souvenait d'avoir tiré sa mère par la manche pour lui dire : « Je croyais qu'il fallait être jeune pour se marier », ce qui avait failli lui valoir une gifle. Ensuite, il n'avait revu June qu'une fois, il devait alors avoir dans les vingt ans, quand elle avait passé un week-end chez son beau-frère mais, depuis, ils échangeaient des cartes de Noël. En octobre dernier, il avait eu la surprise de recevoir une lettre lui disant qu'elle aurait plaisir à le revoir. Elle lui proposait de participer à un jeu de rôles et lui demandait de choisir un personnage de détective ou de policier. Il avait accepté par curiosité et choisi le héros de Chandler car il aimait bien le film noir des années cinquante et avait lu deux ou trois livres de cet auteur. C'était tout ce qu'il pouvait nous apprendre.

– Quel est son métier déjà ? demanda Kay. Il n'est pas cultivé comme le Marlowe de Chandler, qui citait Flaubert et autres, et il n'essaie même pas de s'exprimer comme lui.

– Il n'a pas précisé. J'ai eu l'impression qu'il avait succédé à son père et s'occupait de cette affaire de chantier naval.

– C'est possible, ce garçon me fait l'effet d'être

plutôt un manuel. Moi je préfère les intellectuels comme Steve.

Ce qui nous ramenait tout naturellement à notre cher « Ellery Queen », je dis « notre » car il avait partagé notre intimité. Cela crée des liens.

– Au lit on ne voit guère la différence, dis-je en manière de provocation.

– Cela ne m'étonne pas de vous. Les étreintes bestiales et rapides ne m'intéressent pas, ce sont les raffinements que j'apprécie. Qu'un type me tripote cinq minutes et s'enfonce en moi avec la légèreté d'un marteau piqueur me met en rage. Quand ce genre de mec a fini et s'effondre sur le côté, épuisé, je lui demande toujours : « Alors, on commence quand ? »

Elle n'avait sans doute pas tort, mais je manquais d'expérience, autant en revenir à Ellery.

– Vous étiez au courant des relations d'El et de June ?

– Non, pourquoi aurions-nous parlé d'elle ? Lors de notre rencontre, nous ignorions que c'était une amie commune et nous avions mieux à faire que passer en revue les gens que nous connaissions. En revanche, en arrivant, je savais que nous allions nous retrouver ici, June m'avait montré la liste de ses invités deux semaines auparavant. Steve a été surpris, bien sûr, quand je l'ai accueilli. J'étais là depuis la veille, il est arrivé samedi en fin de matinée et vous l'après-midi.

Ce qui expliquait qu'elle n'ait pas eu le temps de le dévorer tout cru. Je comprenais mieux à présent.

– Ma chère, je suis votre aînée comme vous me l'avez aimablement fait remarquer, reprit-elle, alors permettez-moi un conseil. Puisque Steve est assez bête pour vouloir vous épouser, dites oui, au moins vous aurez la pension alimentaire au moment du divorce sinon, lors de votre prochaine rencontre, il ne se souviendra même pas de votre nom.

– Bah, moi je n'ai pas encore réellement mémorisé le sien.

Le Dr Stephen Sandford, puisque tel était son nom, avait rencontré les McNally, deux ans environ avant la mort de John, classiquement au cours d'une party dans la haute bourgeoisie de L.A. Ellery, je ne puis encore parvenir à l'appeler Stephen, encore moins Steve, n'ayant jamais utilisé ces noms dans nos moments tendres, Ellery donc avait aussitôt plu à John McNally car ils étaient aussi passionnés de polars l'un que l'autre. Dans les semaines suivantes, El avait été invité à l'hacienda où, étant lui-même un grand collectionneur, il était resté en admiration devant la richesse de la bibliothèque de John. Depuis, il avait régulièrement fréquenté le Negro Zumbon et, après la mort du maître des lieux, il avait soutenu sa veuve dans ces moments difficiles. Il aurait sans doute pu rencontrer Kay, enfin le Dr Helen Snyder, lors d'une de ses visites mais le sort en avait décidé autrement et choisi de les réunir plus tard. Vis-à-vis de June, Ellery avait l'âge d'être

189

son fils, mais il s'était plutôt comporté comme un jeune frère, l'emmenant à l'opéra de Frisco, aux premières des théâtres à L.A., aux concerts de l'Hollywood Bowl, une fois même en pique-nique près du lac Meade, aux environs de Vegas.

– Un vrai boy-scout, ce garçon, commenta Kay acide, mais je ne sais pas si c'était June ou sa bibliothèque qui l'intéressait vraiment. Je serais curieuse de savoir combien d'éditions originales il aura fauché en partant d'ici.

Cherchait-elle à l'insulter pour me mettre hors de moi ? Raté. Néanmoins, je me devais de réagir.

– De quel droit le traitez-vous de voleur ?

– Oh ! voleur est un bien grand mot, mais il m'a dit un jour qu'il tuerait père et mère pour posséder certains livres rares.

– Et donc il a tué June pour satisfaire sa passion. C'est ça votre brillante idée ?

– Non, non, pas du tout ! Steve n'aurait jamais poignardé June, le pauvre chéri ! mais profité des circonstances, ça oui. C'est également valable pour les autres, sauf sans doute Maigret. Tous les grands collectionneurs deviennent l'esclave de leur manie. Il faudrait fouiller les bagages de chaque invité au moment du départ, sauf les nôtres naturellement.

– Merci de ne pas me prendre pour une voleuse.

– D'hommes seulement.

Je décidai d'oublier ses sarcasmes, elle n'avait peut-être pas tort, on a déjà tué pour s'emparer de livres ou de timbres rares. Ne serait-ce pas le cas ici ?

Voilà un motif au crime auquel je n'avais pas pensé. Comment le vérifier ? Peut-être existait-il un catalogue de la bibliothèque, mais il faudrait des heures, des jours, pour se rendre compte si quelque chose manquait. Le séisme avait fait tomber des étagères entières et Dolorès avait replacé les livres au hasard, se contentant de boucher les trous. Seul Ellery pourrait mener à bien un tel travail, à condition que Kay n'ait pas raison à son sujet. A moins qu'avec l'aide de Pete... Il me fallait réfléchir. En attendant, je mentis avec aplomb :

– Il est vrai que cette maison regorge de trésors probablement promis au marteau du commissaire-priseur et que cela peut tenter un collectionneur. Soit, mais il ne m'est pas possible de soupçonner un homme qui m'est cher, donc vous voudrez bien cesser ce genre d'insinuation, Kay, sinon je vous casse un bras. Je dirai que vous avez glissé en sortant du sauna, ce sera votre parole contre la mienne.

Elle parut sincèrement effrayée.

– Ne vous fâchez pas. J'ai vu comment vous aviez malmené le punk au crâne rasé, je n'ai pas envie de subir le même traitement. Sur ce plan-là, je ne fais pas le poids. Je plains Steve en cas de scène de ménage, ce sera les urgences dans le meilleur des cas. Bon, mieux vaut changer de sujet, parlons plutôt de notre faux sujet britannique, Holmes, Stanley de son prénom.

En effet, notre Sherlock nous avait tous surpris en nous apprenant qu'il portait en toute légalité le nom de l'illustre détective. Sa sœur se nommait Sheila et tous deux avaient ainsi droit aux fameuses initiales : SH. Il avait été élevé dans le culte du héros de Conan Doyle, au point qu'il avait fini par s'identifier à lui. Né à New York, de parents américains, son accent british n'était pas usurpé car son père avait tenu à l'envoyer faire ses études en Angleterre, et il sortait de Cambridge. C'était un riche antiquaire de la Cinquième Avenue et c'est dans sa boutique qu'avait eu lieu sa première rencontre avec John McNally, des années avant son mariage avec June.

– En principe, je ne vends que des œuvres d'art, nous expliqua-t-il, mais à une certaine époque j'avais exposé dans une vitrine une édition originale de *Monsieur Lecocq* d'Émile Gaboriau, l'un des grands précurseurs du genre au XIXe siècle. C'était pur geste de vanité de ma part. Un jour, un client, qui se révéla être John McNally, voulut l'acheter et fut très déçu d'apprendre que l'ouvrage n'était pas à vendre, mais nous avions découvert notre passion commune et notre amitié date de là. Incidemment, cette édition de *Monsieur Lecocq* fut mon cadeau de mariage à June et John quelques années plus tard.

– Un détail, s'il vous plaît, m'sieur Holmes, demanda Columbo. Quand vous avez fait la connaissance de Mr McNally, était-il marié ? Je veux dire à une autre femme que June.

– Non, il l'avait été dans sa jeunesse à une danseuse des Ziegfeld Follies, une beauté paraît-il, mais le mariage n'avait pas duré, la jeune femme était

192

partie avec un chanteur de la troupe. Après le divorce, John avait continué à fréquenter le milieu des girls de music-hall, à une différence près : il les entretenait richement mais ne les épousait plus. J'avoue avoir été très surpris le jour où il est venu à mon magasin avec June pour m'inviter à leur prochain mariage. Ce n'était certainement pas le genre de femme que j'imaginais pour lui et la mère de la jeune Susan, à en juger par sa fille, devait bien mieux correspondre à ses goûts. Il ne m'a jamais parlé de son accident cardiaque et c'est seulement maintenant que je comprends le pourquoi de cette union à la lumière de ce que nous venons d'apprendre.

– Autrement dit, c'était un chaud lapin, reprit le lieutenant, prosaïque.

Holmes parut un peu choqué par l'expression, il répondit cependant :

– Ce n'est pas une offense à la mémoire de John de dire qu'il aimait les filles jeunes et belles.

– Pas d'enfants ? questionna Poirot.

– Je crois pouvoir répondre par la négative. John a abordé ce sujet avec moi une ou deux fois, à l'occasion d'un procès en reconnaissance de paternité qu'une de ses maîtresses lui avait intenté. C'est toujours le risque qu'on court dans ces sortes d'affaires.

– Ben, ma mère elle a pas fait de procès, intervint Susan que nous avions admise à notre réunion au cas où elle aurait disposé de quelque information supplémentaire.

Holmes sourit sans lui répondre et reprit :

– Les expertises ont montré que John ne pouvait être le père de l'enfant et la fille a été déboutée. Il m'a dit plus tard que cette histoire lui avait servi de leçon et qu'il s'était toujours montré très prudent par la suite. Je n'ai jamais entendu parler de la mère de Susan, mais cela n'a rien d'étonnant, nous étions amis, pas intimes. En fait, comme nous vivions l'un à New York et l'autre sur la côte Ouest, nos rencontres se limitaient à une ou deux par an. N'empêche que j'aimais bien John et que sa mort m'a peiné, après toutes ces années il me manque toujours.

– Et vos rapports avec June ? demanda Poirot en lissant sa moustache.

– Également rares, mais suivis depuis son veuvage. Elle s'arrêtait à mon magasin à chacun de ses passages à New York et nous dînions dans un restaurant à la mode, souvent le Four Seasons qu'elle avait découvert avec son mari des années auparavant. De mon côté, je venais ici pour le week-end des bibliophiles une année sur deux, apparemment pas la même que notre ami Queen puisque nous ne nous y sommes jamais rencontrés. Depuis longtemps June désirait que je sois le Holmes d'une de ses murder parties, j'ai fini par accepter pour lui faire plaisir, j'aurais mieux fait de m'abstenir.

A défaut de nous avoir éclairé sur notre hôtesse, l'antiquaire – c'est curieux, je ne le voyais pas tenir un magasin – nous avait fait découvrir un John McNally inattendu, je dirais même insoupçonné des autres invités. June mariée à un ex- « chaud lapin », elle si parfaitement frigide, c'était ahurissant. Pourtant, en y réfléchissant, c'était logique : une femme désirable et gourmande aurait été une torture pour un homme devenu impuissant. Je voulus demander à Kay son avis et me tournai vers elle. Notre ORL avait glissé deux doigts de la main droite dans sa fourrure et se caressait, yeux mi-clos, la pointe des seins durcie. La provocation était réellement par trop grossière et je me tournai vers le mur. J'entendis aussitôt sa respiration, qui avait commencé à s'accélérer, redevenir normale. Toute cette petite comédie avait été donnée à ma seule intention.

– Finalement, le plus surprenant aura été le prêtre, reprit Kay au bout d'un moment.

– Oui, personnage étrange. Une chose est sûre : il n'appartient pas à la paroisse de Sausalito comme il le prétend, j'y habite.

– Curieux. Mais surtout qui aurait pu imaginer que sa vocation tardive soit due au dépit amoureux d'avoir été repoussé par June voici trente ans ?

– Sûrement pas moi, en dehors de Dieu et de la bonne chère rien ne me paraissait pouvoir l'intéresser dans la vie.

Aux dires du Père Kevin Owens, il avait reçu la visite de la future Mrs McNally quelques années après son divorce d'avec Maigret (j'avais définitivement renoncé à essayer de me remémorer le véritable patronyme du gros homme). Owens était alors un jeune avocat d'affaires établi à Monterey et promis à un brillant avenir. June, qui avait repris son nom de jeune fille, Collins, était venu le consulter pour l'établissement de contrats avec un groupe français. Elle avait créé une petite entreprise d'import-export d'articles de prêt-à-porter et craignait de devenir rapidement une simple employée des cessionnaires. Notre futur Père Brown avait été ébloui par la jeune femme alors au sommet de sa beauté, elle paraissait moins de trente ans même si l'état civil lui donnait un peu plus. Après la consultation, il lui avait proposé de la revoir, ce qu'elle avait refusé, mais le hasard les avait réunis à l'église quelques jours plus tard. Elle avait alors accepté de déjeuner avec lui et il s'en était suivi une longue amitié amoureuse.

– Enfin, amoureuse de mon côté, précisa le prêtre, mais qui se brisa net lorsque, n'y tenant plus, je la demandai en mariage et tentai de l'embrasser de force. Elle me repoussa avec dégoût et mit aussitôt fin à nos relations...

Le petit curé avait marqué une pause dans ses confidences puis il avait repris :

– J'ai alors frôlé le péché mortel, mes amis, j'ai été tenté par le suicide. J'étais follement épris d'elle, en dehors de notre ami Maigret nul ne peut avoir idée combien elle était belle. La foi m'a soutenu dans cette épreuve et j'ai abandonné tout ce qu'avait été ma vie antérieure pour entrer dans les ordres. Une fois ordonné prêtre, quelques années plus tard, j'ai eu le courage d'écrire à June pour m'excuser de ma conduite. Elle m'a répondu très gentiment et, depuis, nous avons régulièrement échangé des lettres où il était surtout question de poésie mais aussi de romans policiers. Je ne l'ai pas revue jusqu'au jour où elle m'a invité à son mariage. J'étais très ému à l'idée de la retrouver, inquiet aussi, mais non, l'amour de Dieu avait effacé celui d'une créature humaine. Je ne ressentais plus rien pour elle, sinon une grande amitié, et c'est très sincèrement que je la félicitai. Depuis j'ai été régulièrement invité ici et c'est moi qui ai souhaité tenir le rôle du Père Brown, dans un des jeux de rôles organisés par June. Voilà, mes amis, l'histoire d'un pauvre prêtre qui a été léché par les flammes de l'enfer.

J'avoue que je voyais mal le petit homme dans le rôle d'un amoureux transi, mais il est vrai qu'on peut beaucoup changer en trente ans.

– Moi, je le raie de la liste de mes suspects, me dit Kay. On ne cherche pas à se venger d'une femme après tant d'années, et il est certainement incapable de tuer quelqu'un. Hier, je l'ai vu faire un détour pour ne pas écraser une araignée.

– D'accord, on tue par amour dans l'instant, pas à retardement. Le récit du Père Brown aura eu l'avantage de combler un vide dans la biographie de June. Maigret la laisse à Chicago à la fin des années cinquante et elle succède à ses parents à la tête de l'entreprise familiale peu après 1960. Vend-elle ou ses affaires périclitent-elles alors ? Nous n'en savons rien. Toujours est-il que nous la retrouvons en Californie, à Monterey, en 1964, où elle est revenue à des activités d'import-export comme au début de sa carrière. Reste à savoir comment elle a connu McNally et pourquoi elle a accepté de l'épouser.

– Je crois pouvoir répondre. J'ignore combien de temps a duré l'épisode Monterey mais, ensuite, elle a vécu près d'ici à San Fernando, c'est alors qu'elle a connu John. On les a présentés l'un à l'autre dans le foyer de l'opéra de San Francisco, je crois. Elle m'a seulement dit qu'ils avaient été aussitôt attirés par leurs goûts communs. Elle avait dans les trente-six ans à l'époque et, à mon avis, elle a voulu faire une fin. S'il lui a avoué son infirmité, on comprend qu'elle ait été tentée car, au fond, elle était tout aussi infirme que lui. Le choix de John s'explique car il lui fallait une femme de son monde pour sortir et recevoir. Un mariage de convenance et de raison au début, mais, ensuite, elle aima vraiment son mari.

Un silence s'ensuivit. Je songeai que, finalement, à voir sa mine réjouie, c'était sans doute le petit prêtre qui avait eu la meilleure part. Venait-elle de Dieu, comme il en était persuadé, ou de lui-même, comme je le croyais, cela n'avait aucune importance.

Des coups violents frappés à la porte du sauna nous firent sursauter et la voix d'Ellery nous parvint :

– Avez-vous l'intention d'hiverner là-dedans ? Si oui, je viens vous rejoindre.

– Je sors, lui criai-je.

– Au moins, vous ferez une bonne épouse. Votre seigneur et maître parle et vous accourez, persifla Kay.

– Disons plutôt que je préfère sa compagnie à la vôtre.

Chapitre 11

18 janvier - 9 h 20

– Miss Evans ! Miss Evans, venez vite !

La voix de Pete me parvenait depuis le hall, il paraissait en proie à une vive émotion. Je venais de remonter dans ma chambre, et j'étais déjà nue, occupée à déshabiller Ellery. Que se passait-il encore ? Pourquoi n'appelait-il pas Kay, elle devait encore se trouver dans le sauna, du moins je le supposais. Il est vrai qu'elle serait aussi dépoilée que moi et dégoulinante de sueur. Je soupirai, réenfilai le peignoir en éponge – voilai ma nudité, comme dirait Poirot –, mis des baskets et allai jusqu'à la rambarde de l'escalier.

– Qu'y a-t-il, Pete ?

– Venez vite, Miss, le motard blessé, celui au crâne rasé, a été poignardé.

– Quoi ! Il est mort ?

– Je crois, il faudrait qu'il soit examiné par les médecins.

– Nous arrivons, prévenez les autres.

Je retournai auprès d'Ellery qui avait tout entendu par la porte restée ouverte. Il leva les bras au ciel tout en remettant ses vêtements.

– Pas moyen d'être tranquille cinq minutes ici, dit-il l'air sombre. Et puis un crime par jour dépasse la moyenne autorisée, je n'ai pas ton habitude.

– Bah ! ce n'est pas forcément un meurtre, c'est peut-être une bagarre entre les punks, l'un d'eux aura liquidé son chef pour récupérer la minette. Allons voir.

– Comme ça ? Mais tu es presque nue !

– Ça bâille un peu, ils n'en perdront pas la vue, et puis je ne fais pas partie de la *high society* moi, il faut m'accepter comme je suis. Donc on se dépêche, mais pas question de courir, les filles plates ne savent pas la chance qu'elles ont de ne pas avoir de gros lolos à trimballer.

Je descendis, El à ma suite, traversai le vestibule et gagnai le couloir qui permettait d'atteindre l'aile arrière de la maison. La chambre où Crâne de Fer avait été soigné la veille au soir était vide, mais des sanglots nous parvenaient de celle de Susan. La petite était en larmes au pied du lit, les trois autres motards autour d'elle, ainsi que Dolores et sa sœur. Les garçons venaient de se réveiller, cela se voyait à leurs visages fripés, ils étaient encore torse nu et Susan portait un simple T-shirt qui lui cachait à peine le minou. Le chef gisait sur le ventre, un poignard profondément enfoncé entre les omoplates.

Le manche ressemblait exactement à celui du couteau qui avait tué June. Un horrible soupçon me vint.

– Qu'est devenue l'arme du premier crime ? demandai-je à Ellery.

– Je crois que Holmes l'a rangée dans un meuble de la petite bibliothèque.

– C'est exact, Miss, me dit Angela. Je sais lequel, j'étais avec lui quand Mr Holmes l'a fait. Voulez-vous que je vous y conduise ?

– Oui. El, regarde s'il n'y a plus rien à faire. Si ce garçon est mort, ne retire pas le poignard, je reviens.

– C'est pas juste, on n'avait pas le droit de tuer mon Jim, nous nous aimions, je voulais un enfant de lui, s'écria Susan en pleurnichant de plus belle.

Elle se redressa et se jeta en travers du corps, découvrant par là même ses fesses et son sexe. El jeta un coup d'œil appréciateur, les hommes sont incorrigibles.

– Je suis désolée, Susan. Ne touche pas au couteau, à cause des empreintes, et va mettre une culotte, sinon nous allons avoir un ou deux morts supplémentaires par infarctus.

Elle se retourna, tira sur son T-shirt et jeta un regard méprisant à Ellery.

– C'est bien le moment, dit-elle en grommelant. Tous des salauds, puis elle se releva et quitta la pièce.

J'en profitai pour m'éclipser avec la cuisinière. Dans le couloir, je me heurtai à Kay qui, au sortir du sauna, avait rencontré Pete et accourait.

– Ils se sont battus entre eux ? me demanda-t-elle.

– J'ai bien peur que non. El vous expliquera.

Je suivis Angela dans l'autre aile et elle m'indiqua un meuble ancien en acajou sombre. Un seul des deux tiroirs possédait une clef, l'autre était entrouvert, des éraflures et une fente dans le bois montraient qu'on l'avait forcé. Je le tirai, il ne contenait plus que des cartes d'état-major : l'arme avait disparu. Plus de doute, c'était bien avec le même poignard qu'on avait tué June et le motard, les deux crimes devaient donc être liés. C'était insensé ça !

J'entendis les autres invités arriver avec Pete et sortis de la bibliothèque pour leur faire part de ma découverte. Ce fut surtout ma tenue qui fit sensation, il est vrai que mes seins sortaient à moitié du peignoir dont la ceinture s'était relâchée, seul le prêtre ne parut pas y prêter attention. Tous les autres semblèrent passionnés par mon anatomie. Je resserrai le nœud et me rajustai.

– J'ai été avertie du nouveau meurtre au sortir du sauna, ajoutai-je pour expliquer ma tenue négligée.

– Nous ne saurions nous en plaindre, chère amie, répondit Poirot, une lueur égrillarde allumée au fond du regard.

Ainsi cette vieille gravure de mode s'intéressait bien aux femmes, j'en avais déjà eu l'impression, même s'il affectait de nous tenir pour quantité négligeable. Que Marlowe et Maigret aient maté franchement m'étonnait moins, Holmes avait observé,

Columbo regardé de biais comme tout homme marié.

– Je monte m'habiller, messieurs, et je vous rejoins.

Tout en enfilant mes sous-vêtements je songeai au dernier développement de l'affaire. Pourquoi tuer ce garçon ? Quel rapport pouvait-il avoir avec Mrs McNally ? Il fallait admettre que Susan nous avait menti, qu'elle connaissait June et que la présence du groupe de *bikers* à proximité de l'hacienda avait un but précis. Soit, mais s'il s'agissait d'un chantage on voyait mal la victime, June, et le maître chanteur, Jim, être tous deux victimes d'un même criminel. Ça ne tenait pas debout. Enfin, Holmes ou Poirot arriverait bien à débrouiller cela, moi ce n'était pas le genre de crime dont j'étais capable de trouver la solution. Trop sophistiqué.

Je mis une robe décolletée, la chaleur était revenue et je n'avais pas à sortir de la maison comme Kay pour gagner le pavillon des invités, alors autant en profiter. Et si Mr Queen voulait s'attarder dans ma chambre ce soir, pourquoi pas ? Après tout, un assassin rôdait dans nos murs, mieux valait ne pas rester seule. En espérant que ce ne soit pas *lui* le coupable.

A mon retour, tous, sauf Pete, étaient réunis dans la grande salle encombrée d'instruments de jardinage où j'avais fouillé les motards la veille, et Holmes menait l'interrogatoire. Je supposai que le régisseur gardait le corps, encore que j'en voyais mal l'utilité, il n'allait pas se sauver tout seul. Susan et ses compagnons étaient décemment vêtus et paraissaient en état de répondre aux questions. La gamine était tout en noir, pantalon de velours et pull de laine, comme pour montrer qu'elle portait le deuil de son ami. A mon avis, elle n'avait pas perdu grand-chose avec ce pauvre macho à la cervelle rétrécie. Débarrassée de ses anneaux et revenue à une couleur de cheveux normale, elle n'aurait aucune peine à trouver mieux.

– Il est maintenant 9 h 40, pourquoi avoir donné l'alarme si tard ?

– Ben, m'sieur, hier soir nous avons trouvé quelques bouteilles dans une réserve, par-derrière, alors on a bu jusqu'assez tard, répondit Phil. Moi, je dormais encore quand Susan nous a appelés ce matin, j'ai d'abord cru qu'elle avait fait un cauchemar.

Holmes se tourna vers la jeune fille.

– C'est vrai, on a bu, dit-elle. Après ça, Jim se sentait mieux et il a voulu rester seul avec moi pour... enfin me baiser, quoi ! On était alors dans ma chambre. Ensuite, il n'a pas eu la force de se relever et il m'a dit d'aller dormir ailleurs parce que le lit était trop petit pour deux et que je lui faisais mal au bras. Ça m'a mise en rogne et on s'est un peu engueulés. Finalement, je suis allée me doucher puis j'ai dormi dans la pièce où les médecins avaient soigné Jim.

– Ainsi vous avez échangé vos chambres, intéressant ça, souligna Poirot.

– Quoi ? Vous pensez que c'est moi qu'on voulait liquider ? demanda-t-elle, prouvant qu'elle avait l'esprit rapide.

– C'est une possibilité, reconnut Holmes tout en bourrant sa pipe. Mais ne concluons pas trop rapidement. Une fois couchée, que s'est-il passé ?

– Rien de spécial, j'ai dormi. Ce matin, je me suis réveillée la première et j'ai voulu rejoindre Jim. Je comptais me glisser dans son lit et profiter de son érection nocturne, mais, dès que j'ai ouvert la porte, la lumière du couloir a éclairé le manche du couteau. J'ai crié comme une folle et je suis allée réveiller les autres qui ne comprenaient pas ce qui se passait. Ensuite, Phil a couru prévenir les domestiques.

– Par où êtes-vous passée ? demandai-je.

– Mais... par le couloir, m'dame.

– Et la porte était ouverte ?

– Ben, oui, m'dame, sans ça j'aurais pas pu passer.

Irréfutable mais difficile à admettre, nous l'avions fermée la veille au soir et j'avais même placé une chaise derrière la poignée. Je l'expliquai aux autres.

– Je sais, dit Holmes, Pete me l'a déjà dit. Il ne fait aucun doute que l'assassin venait de la maison principale, à nous de savoir s'il y résidait ou comment il a pu y pénétrer.

Je repensai à la clef qu'Ellery m'avait dit avoir trouvé la veille et qui devait lui permettre de me rejoindre à l'aube, ce qu'il n'avait pas fait. Je sentis mon sang se figer.

– Comment êtes-vous entrée ? demandai-je à Kay pour cacher mon trouble.

– J'ai frappé et Dolores m'a ouvert.

– J'ai vérifié, dit Holmes auquel aucun petit détail n'échappait.

Columbo eut un hochement de tête approbateur.

– Vous avez prétendu n'avoir aucun rapport avec June McNally, Susan, reprit-il, nous avons admis cette réponse même si elle ne nous a pas vraiment convaincus. Maintenant ce n'est plus possible. Vous comprenez bien que ces deux meurtres se tiennent. Soyez franche avec nous, c'est votre intérêt, votre ami et vous la faisiez chanter, n'est-ce pas ?

La gamine se redressa comme si on l'avait giflée.

– Écoutez-moi tous, bande de tarés. Un : on était là par hasard. Deux : ma mère a reçu du fric du vieux, c'est vrai, mais elle le lui avait pas demandé. Trois : ni Jim, ni moi, ni les autres n'ont eu le moindre rapport avec sa femme : on n'a fait chanter personne. Cette June, je ne la connaissais pas du tout. C'est parce que nous avions faim et froid que je suis venue vous dire que j'étais ici chez moi et pas vous, mais j'sais bien que les avocats de la famille ne voudront jamais rien me donner.

– Sauf si cette famille se réduit à vous et une autre personne, inconnue de nous, lui répondit Holmes tout en soufflant un nuage de fumée autour de lui. Cet héritier tue, ou plutôt fait tuer June, puis une nouvelle héritière apparaissant de façon inattendue, le meurtrier décide de s'en débarrasser avec le sang-froid et la détermination d'un professionnel. Dans cette hypothèse, l'échange de chambre vous a sauvée, jeune fille.

– Je le pense aussi, dit Poirot. L'héritage est le seul motif plausible du meurtre de June.

– Et le vol de livres rares ? demandai-je.

– Aucun n'a été volé, Miss Evans. Nous sommes restés assez tard hier soir après la réunion, Poirot, Columbo et moi, pour le vérifier. Il ne manque pas une édition originale, pas un ouvrage précieux, pas une dédicace. Nous n'avons pas regardé les livres de poche, bien sûr, mais ils sont sans valeur.

Holmes me sidérait une fois de plus. A mon avis, il connaissait déjà le nom du coupable mais n'avait pas de preuve permettant de le confondre. Cependant, je ne voulais pas encore m'avouer battue.

– Si l'un d'entre nous se présente maintenant pour réclamer l'héritage, il deviendra le premier suspect. Trop dangereux. Il faut que le meurtre ait eu un autre motif.

– Pas nécessairement, chère amie. J'ai réfléchi à cette difficulté et c'est pourquoi j'ai employé l'expression : « tue ou plutôt fait tuer June ». Il est clair que si l'héritier, nommons-le ainsi, est l'instigateur du crime, il ne peut en être l'exécutant.

– C'est l'évidence même, renchérit Poirot.

Je les regardai sans comprendre, une fois de plus ils allaient trop vite et trop loin pour moi.

– Nous reparlerons de cela plus tard, reprit Holmes. Je suggère que nous fassions le tour de la maison par groupe de deux ou trois pour rechercher les traces d'une entrée par effraction. Vous m'accompagnez, Miss Evans ?

– Je me joins à vous, si vous le permettez, dit Columbo.

Je les suivis, un peu dépassée par la tournure prise par les événements. J'aurais préféré rester avec Ellery, il aurait peut-être pu m'expliquer les propos de Holmes. Kay en profita pour l'entraîner vers l'aile est de la maison, heureusement le Père Brown décida de les suivre, rien de mieux qu'un curé pour faire office de chaperon. Holmes partit à grandes enjambées dans la direction opposée, tandis que Maigret, Marlowe et Pete se dirigeaient vers la partie arrière du bâtiment, là où Crâne de Fer venait d'être tué. Poirot, peu désireux de fatiguer ses petites jambes, décida de nous attendre dans la bibliothèque sous prétexte de protéger Susan. Pauvre fille ! Si elle échappait au poignard du criminel, elle risquait de mourir d'ennui.

En arrivant dans le petit couloir qui venait de la cuisine, Holmes s'arrêta en désignant une fenêtre à demi ouverte. En nous approchant, nous vîmes qu'un carreau était brisé près de la crémone. Du verre jonchait le sol, plus de doute le meurtrier était entré par là.

– Il est entré par là, dit Columbo.

– Penchez-vous à l'extérieur, lui conseilla Holmes.

Une fois de plus, j'étais larguée.

– Il y a également des éclats de verre, observa le lieutenant.

– Je m'y attendais, dit Holmes.

Je regardai à mon tour, la majorité des morceaux de vitre se trouvait dans le couloir, mais on en apercevait deux sur l'appui de la fenêtre et d'autres coincés entre les épines d'un cactus boule qui poussait à l'extérieur. A dix mètres, la porte des écuries nous faisait face. Je reconnus :

– Il ne devrait pas y avoir de verre dehors.

– Exact. Le carreau a été brisé par quelqu'un qui se tenait dans le couloir. A mon avis l'ordre des opérations a été le suivant : le meurtrier arrive, ouvre la fenêtre en grand, casse une vitre et repousse les éclats contre le mur opposé pour la vraisemblance. Il aura tapé trop fort et quelques bouts de verre auront jailli sur l'appui et au-dehors.

– Conclusion : l'assassin venait de l'intérieur de la maison, dit le lieutenant. A moins qu'il n'ait voulu le faire croire pour que nos soupçons retombent sur quelqu'un d'autre, dans ce cas cette maladresse aurait été voulue.

Je repensai à Ellery qui possédait une clef...

– Ceci suppose un meurtrier subtil et intelligent, Columbo, il n'est pas certain qu'il en soit ainsi. Bien, allons faire part de notre découverte aux autres, mais inutile de parler de nos supputations, ce serait prématuré.

Holmes repartit d'un pas aussi rapide qu'il était

211

venu et je dus presque courir pour le suivre. A mon
avis il devait passer plus de temps à faire du jogging
dans Central Park qu'à s'occuper de ses antiquités.

Poirot avait repris son tableau en carton et rajouté
les noms de Susan et de ses trois compagnons.

– Il nous appartient d'examiner si quelqu'un pos-
sède un alibi pour le nouveau meurtre, expliqua-t-il
d'un air gourmand. Mais d'abord quand a-t-il été
commis ? Nos médecins peuvent-ils répondre à cette
question ?

« Nos médecins » échangèrent des regards indé-
cis, j'ignore s'ils valaient quelque chose dans leur
spécialité, mais comme légistes ils étaient nuls.

– Phil nous a dit qu'ils avaient discuté et bu jusque
vers trois heures du matin, répondit Kay, et la rigidité
cadavérique n'avait pas commencé quand nous
avons examiné le corps. Moi, je dirais entre quatre
et six heures du matin.

Elle se tourna vers Ellery qui haussa les épaules.

– Pardonnez-moi, je ne peux pas préciser davantage, ce n'est vraiment pas ma partie.

– Je ne me suis pas endormie tout de suite, dit
Susan, après la douche j'étais encore furieuse que
Jim ne m'ait pas gardée auprès de lui. Pour une fois
que nous avions un vrai lit !

– Combien de temps avez-vous veillé encore, ma
chère enfant ?

– Poirot, vous êtes un vieux cochon ! Pas de chère

212

enfant, s'il vous plaît, sinon je vous poursuis pour harcèlement sexuel. J'ai dû mettre une demi-heure, ou un peu plus, à m'endormir et j'ai entendu Jim remuer. Si j'avais su ce qui allait arriver, je serais restée avec lui malgré tout. Le salaud qui a fait ça n'aurait pas pu nous tuer tous les deux avec un seul couteau.

– Détrompez-vous, mademoiselle, le poignard a été lancé, mais il aurait aussi bien pu servir à égorger. Bien, qui peut présenter un alibi pour une période de temps qui va de 3 h 30 à 6 heures du matin ?

Pete Keyhoe leva timidement la main.

– Bien sûr, l'alibi familial, je le note. Pour ce qu'il vaut. Autre chose ?

– Ben, nous, on ne savait pas où était le couteau, fit observer Phil avec quelque apparence de raison.

– En effet. Je suppose que personne n'en a parlé à ces jeunes gens ?

Il nous examina tous suspicieusement.

– J'ignorais également où Mr Holmes l'avait rangé, dit le Père Brown. Un poignard n'est rien d'autre qu'un morceau d'acier, mais entre de mauvaises mains il sert de truchement au Malin. En voir un m'est pénible.

« Truchement : encore un mot à chercher dans le dictionnaire », songeai-je. Pourquoi ces gens ne pouvaient-ils s'exprimer simplement ? Les yeux du prêtre semblaient encore plus vides que d'habitude, on aurait dit deux grands lacs qui ne recélaient aucune vie. Seule une coupe de champagne pouvait les faire briller.

– Je pense, en effet, que Phil et ses amis ne pouvaient savoir où j'avais rangé cette arme, reconnut Holmes. A noter, comme nous l'a dit Miss Evans et je l'ai vérifié, que le tiroir où je l'avais placé a été fracturé. Ceci innocente bien plus Angela, sa sœur et Pete que leur alibi familial, pour reprendre l'expression de Poirot. Une même clef ouvre les deux tiroirs, l'autre est égarée depuis des années m'a dit Dolores. J'ai fermé l'un et replacé la clef sur l'autre, tout simplement parce qu'elle s'y trouvait initialement. J'ai agi machinalement, je n'imaginais pas que le poignard allait resservir. Naturellement les domestiques savaient qu'il n'était nul besoin de fracturer le tiroir pour l'ouvrir. C'est là un point suggestif.

– Certainement. Je suppose que tout le monde dormait à cette heure de la nuit, sauf l'assassin naturellement. Le bris de la vitre a dû faire un certain bruit, la fracture du tiroir aussi, vous n'avez rien entendu, ma chère Carol ? Oh ! j'ose espérer que vous ne me poursuivrez pas pour harcèlement sexuel si je vous nomme ainsi...

– Je n'ai pas entendu le moindre bruit, mon cher Hercule, mais la fenêtre se trouve dans un couloir du rez-de-chaussée assez éloigné de ma chambre au premier. En revanche, le meuble où avait été placé le poignard est situé sous celle de June et un craquement aurait pu me parvenir. Je n'ai rien remar-

214

qué, les planchers font de ces sortes de bruits parfois.

– Heu... si je puis me permettre...

Le petit prêtre se racla la gorge comme pour se donner du courage.

– Oui, mon Père.

– Vous venez de dire que nous dormions tous à l'heure du nouveau meurtre, Mr Poirot, c'est inexact en ce qui me concerne. Je suis insomniaque et quelques heures de sommeil me suffisent chaque nuit. Tout comme hier, vous auriez pu me trouver à l'écurie pendant une bonne heure. Il devait être cinq heures du matin environ, je n'ai pas fait très attention. Au bout d'un moment j'ai entendu un bruit de verre brisé, sans doute est-ce à ce moment-là que le meurtrier est entré dans la maison, et...

– Je ne le pense pas, le coupa Holmes.

Il se lança alors dans un commentaire plus complet de ce que nous avions découvert et des conclusions qu'on pouvait en tirer. Quand il eut terminé, Brown parut sur le point de vouloir compléter sa phrase, puis y renonça. Tout cela ne me plaisait pas, dans la maison il n'y avait que les domestiques, certainement hors de cause, et moi. Autrement dit, il fallait que le meurtrier ait possédé une clef pour pouvoir venir du dehors. Je jetai un coup d'œil à Ellery qui écoutait calmement tout ce qui se disait, m'adressant un sourire de temps à autre. Il donnait l'image d'un homme amoureux qui a la conscience tranquille.

– Holmes et son groupe sont revenus très vite, fit observer Poirot, et nous avons rappelé les autres. Il serait bon d'achever l'examen des moyens de pénétrer dans cette maison, peut-être découvrirons-nous que le meurtrier a emprunté un tout autre chemin. Je suggère une deuxième visite, plus approfondie cette fois, et j'irai même jusqu'à donner l'exemple. Mademoiselle Susan, me ferez-vous l'honneur de m'accompagner ?

– Il est trop, ce type.

Mais elle se leva néanmoins pour le suivre.

Ellery me prit par la main et m'entraîna vers le sous-sol, ce qui me parut une idée intéressante, personne n'y était allé voir. Columbo nous emboîta malheureusement le pas, je me serais bien passé de celui-là. Je glissai à l'oreille d'Ellery :

– Je t'attendais ce matin. J'ai vu apparaître Kay à ta place, ce n'était pas exactement la même chose.

Il eut un petit rire.

– Pardonne-moi, la vérité est toute simple : j'avais présumé de mes forces et je ne me suis pas réveillé. J'ai été horrifié quand j'ai vu l'heure en ouvrant l'œil, le temps de m'habiller et de faire ma toilette vous deviez déjà être dans le sauna. Je suis désolé.

J'aurais bien voulu lui parler de la clef, mais la proximité de Columbo m'en empêchait. Je décidai d'attendre une meilleure occasion.

Outre le sauna, le sous-sol se composait d'un cellier, d'une salle de jeux, billards et tables de ping-pong, et de divers engins électriques disgracieux :

machines à laver et à sécher le linge, congélateur, etc. Derrière, une grande pièce faisait office de cave et remplaçait le grenier que l'architecture de la maison ne permettait pas.

Le lieutenant essaya l'un après l'autre tous les soupiraux, portes et vasistas qui pouvaient donner sur l'extérieur. Ellery l'aida sans excès de zèle et je les regardai faire, soucieuse de ne pas transformer ma robe en étalage de toiles d'araignées. Toutes les ouvertures étaient parfaitement fermées, personne n'avait cherché à s'introduire par ici. En repassant par le cellier, Columbo alla chercher trois bouteilles de barolo qu'il nous montra fièrement :

– C'est moi qui les ai offertes à June. Je vais dire à Dolores de les servir ce midi, vous pourrez ainsi goûter à mon vin. J'ai vu que vous ne buviez que du blanc, Carol, j'espère que vous ferez une exception en faveur de ma récolte.

– J'en boirai un verre mais, c'est vrai, pour moi rien ne vaut un chardonnay bien frais ou, à la rigueur, du chablis français. Il paraît que c'est monstrueux de boire du vin blanc avec de la viande rouge, dans ce cas je suis un monstre.

– Quand même, pas pour si peu !

De retour dans le hall, Columbo nous laissa pour porter son précieux vin à l'office. J'aperçus Susan qui revenait, suivie de loin par un Poirot essoufflé. Elle avait dû s'amuser à le faire courir, j'avoue que j'en aurais volontiers fait autant.

– Alors ? demandai-je.

– Rien, sinon que ce vieux dégoûtant m'a mis la main au cul.

Poirot, qui arrivait, ne parut pas autrement indigné de l'accusation.

– Ne faites pas attention, mes amis, en se reculant Susan a heurté ma main, rien d'autre.

– Tu parles ! dit-elle à mi-voix.

– Nous n'avons rien découvert d'intéressant, reprit le petit homme. Et vous ?

– Nous non plus, lui répondit Ellery. Personne n'est entré par les caves.

– Ni par l'aile est, nous cria Marlowe qui arrivait avec Kay.

Ce garçon était jeune et pas mal bâti, je me demandai si notre chère ORL n'allait pas tenter de passer la nuit avec lui, à titre de prix de consolation, même si elle le trouvait un peu trop « manuel » à son goût.

– Rien de notre côté non plus, annonça bientôt Maigret.

Le Père Brown, qui le suivait, se contenta de sourire aux cohortes célestes comme à son habitude, sans rien ajouter. Holmes et Pete nous rejoignirent les derniers. L'antiquaire eut un bref signe négatif de la tête. Ce fut à cet instant que le lieutenant réapparut, il courait et paraissait très excité.

– Grande nouvelle, mes amis, le téléphone fonctionne à nouveau. J'ai laissé un message au shérif de Northridge, il nous rappellera dès son retour à son bureau.

Chapitre 12

18 janvier - 11 h 30

Le shérif Hopkins arriverait en hélicoptère entre 16 et 17 heures, ses services emporteraient les corps tandis qu'il nous interrogerait. Ensuite... eh bien, tout dépendrait de son bon vouloir, nous étions aussi prisonniers de cette maison que d'une île déserte. Il pouvait décider de nous garder là pour les besoins de l'enquête, ou nous faire évacuer en deux groupes, son hélico ne pouvant transporter que huit passagers. Après l'appel du shérif, Columbo était tout content, il se voyait déjà de retour à Napa Valley. En revanche, Poirot, qui avait écouté leur conversation, me sembla plus réservé. A l'entendre, le représentant de l'ordre lui avait paru particulièrement mal embouché et peu intelligent. En fait, il n'avait guère fait que répondre « Putain de merde », à tout ce que lui disait le lieutenant.

Il s'ensuivit une longue conversation entre Poirot

et Holmes, puis le petit homme nous fit la proposition suivante :

– Mes amis, il est de notre devoir d'apporter toute l'aide possible aux autorités, d'abord par civisme, ensuite si nous ne voulons pas rester ici jusqu'au jugement dernier. Je vous propose donc qu'après l'excellent repas que nous aura préparé Ms Angela, arrosé du nectar de notre collègue Columbo, nous nous retrouvions dans la bibliothèque pour tenter de résoudre ce double meurtre. Chacun exposera sa solution, et tous ensemble nous ferons en sorte que le shérif n'ait plus qu'à procéder à l'arrestation du coupable.

– Pour cela il faudra nous accuser les uns les autres, c'est très grave, objecta le Père Brown. Il ne s'agit plus d'un jeu. Nous formons un groupe de bonne compagnie, amical même, qui ne résistera pas à des accusations lancées à la légère. Nous nous quitterons tous fâchés, blessés même, c'est dommage. Pourquoi ne pas laisser ce travail à la police, c'est son rôle après tout ?

– Ces scrupules vous honorent, mon Père, le coupa Holmes, mais un criminel se cache parmi ce groupe amical. Un criminel qui a tué notre chère June et un jeune homme. Il est de notre devoir de le livrer au shérif.

– Notre devoir ? Et si nous nous trompons, ou plutôt si vous vous trompez, car je refuse de participer à cet acte de lynchage, que se passera-t-il pour l'innocent injustement accusé ?

Il y eut un certain flottement entre Holmes et Poirot, ce fut ce dernier qui répondit :

– Nous exposerons d'abord impartialement l'affaire aux policiers afin qu'ils puissent former leurs propres conclusions. Ensuite, nous leur proposerons notre solution.

– Vous pensez connaître le coupable ? demanda Ellery.

– Oui, dit simplement Holmes.

Le ton était sans appel, il était sûr de lui, et Poirot devait être sur la même longueur l'onde. J'aurais bien voulu avoir la même certitude qu'eux, j'avais seulement des soupçons et ils me déplaisaient souverainement.

– Encore faudrait-il que nous soyons tous d'accord sur une même personne, dit à son tour Marlowe. Il serait peu probant de proposer deux ou trois criminels au shérif.

– Il y en aura forcément deux, mon cher Philip. Le véritable coupable cherchera à faire accuser quelqu'un d'autre, c'est évident, lui répondit Poirot. Je dirai même que c'est probable, d'après notre analyse de l'affaire.

– L'un de nous a donc l'âme si noire d'après vous, dit le prêtre avec un soupir.

– Moi, je n'aurai pas de nom à proposer, dit Maigret, je ferais un bien mauvais détective.

– Qu'importe, mon ami, vous participerez à la discussion et j'espère que nous emporterons votre adhésion.

Un ange passa.

– Pas d'objection, Miss Evans ? me demanda Holmes.

Je fis non de la tête.

– Parfait. Il est maintenant 11 h 30, le repas est dans une heure, nous parlerons après le café. Maintenant, veuillez m'excuser, je vais revoir mes notes.

Ellery me suivit dans ma chambre, tandis que les autres partaient vers le pavillon des invités. De son côté, le prêtre annonça son intention d'aller prier en compagnie de ses chers chevaux, il trouverait du réconfort auprès de ces êtres simples. Pourquoi pas, après tout ? Il serait au moins sûr de leur innocence. Tout n'était pas si simple pour moi et j'avais bien des raisons de suspecter l'homme qui faisait glisser la fermeture Éclair de ma robe le long de mes reins.

Lors de la murder party déjà, avait-il vraiment été désigné par le sort ? Ellery prétendait avoir aperçu la marque de l'assassin sur son billet par transparence, possible quoique peu vraisemblable. N'avait-il pas plutôt truqué le tirage pour être désigné et accomplir en une fois le vrai crime et son simulacre ? C'était, hélas, assez probable. Bien entendu, ma présence l'avait empêché de commettre son forfait, je lui plaisais, cela, au moins, était vrai.

Son alibi n'était pas tellement convaincant. Kay, occupée par Marlowe, était incapable de dire avec certitude combien de temps El était resté avec elle.

Peut-être avait-il eu le temps d'aller lancer le poignard sur June avant de venir nous rejoindre à l'écurie. Bien entendu, lors de la reconstitution, il avait fait semblant d'être incapable d'atteindre la cible depuis la terrasse.

Enfin, cette nuit, il pouvait avoir utilisé sa clef pour pénétrer dans la maison. Ellery savait quelle chambre avait été attribuée à Susan lorsqu'il avait soigné Crâne de Fer avec Kay, mais ignorait tout de l'échange. Une erreur de victime était donc possible. A moins qu'il ait eu une raison d'éliminer le garçon. Mais laquelle ? Et pourquoi avoir cassé la vitre de la fenêtre du couloir aussi maladroitement, à moins qu'il ne veuille faire accuser Pete ?

Difficile de se remémorer tous les détails à charge contre un homme qui vient d'achever de vous déshabiller et, à la manière d'un chat, a entrepris d'explorer chaque recoin de votre peau du bout de la langue. Si je voulais lui poser la question qui me brûlait les lèvres, il fallait le faire avant qu'il ait atteint un endroit qui brouillerait mes pensées. Je pris son visage entre mes mains et l'éloignai de moi.

– Où est la clef que tu as emportée hier soir ?

Il parut stupéfait de la question.

– La clef, mais... dans ma poche. Pourquoi ?

– Vérifie.

Comme il ne me lâchait pas, je le repoussai et il se résigna à aller fouiller dans sa veste qu'il avait jetée sur un fauteuil en entrant dans la pièce. Il la trouva aussitôt.

– La voilà. Pourquoi ?

– Et c'est vraiment le sommeil qui t'a empêché de me rejoindre ce matin ?

– Oui, d'habitude je suis debout à l'aube et, là, je n'arrivais pas à me réveiller, c'était comme si j'avais pris un somnifère.

Il mentait ou alors...

– Tu as bu avec les autres avant d'aller te coucher ?

– Oui, un *night cap*, comme chaque soir. Nous étions tous ensemble, ensuite Holmes, Poirot et le lieutenant sont restés après nous dans la bibliothèque comme ils l'ont expliqué. J'ai songé à les aider, mais j'étais trop fatigué.

– Autrement dit, n'importe lequel peut avoir drogué ton verre pour venir prendre ta clef au milieu de la nuit et la rapporter ensuite. Quelqu'un était-il près de toi lorsque tu l'as subtilisée ?

– Je ne crois pas, Dolores mise à part, je ne sais pas. Ainsi c'est à ça que tu penses... Comme je n'avais aucune raison de croire que la clef ait pu quitter ma poche, je n'ai pas envisagé cette possibilité. Chez June, je ne ferme jamais le verrou de la porte de ma chambre, jusqu'ici on n'y rencontrait que des gens de bonne compagnie. Alors, tu as peut-être raison, j'ai été stupide...

Il paraissait penaud, comme un enfant pris en faute. Ou il mentait très bien, ou on l'avait drogué, sinon il serait venu me rejoindre, j'en étais sûre. Enfin je le croyais, les femmes s'illusionnent souvent. Je devais lui laisser le bénéfice du doute, et puis, pourquoi aurait-il voulu tuer June ? Et le biker ? Pas question d'héritage dans un cas comme dans l'autre, et aucun livre rare n'avait disparu. Je m'approchai d'Ellery et appuyai sa tête entre mes seins, il retrouva aussitôt toute sa fougue et sa technique. Un instant plus tard, nous roulions sur le lit, nus et enlacés.

Certes, mes soupçons étaient loin d'être dissipés, mais ce garçon me plaisait et, surtout, il m'avait rendu l'inestimable service de me révéler qu'un homme pouvait à nouveau me satisfaire. Qu'il soit coupable ou non ne me regardait pas, je ne dirai rien qui puisse lui porter tort et, d'ailleurs, pour être franche, je n'avais aucune certitude sur l'identité de l'assassin. Dans les romans policiers anglais, c'est toujours le personnage qui a le meilleur alibi : Kay, ça me plairait bien, mais c'était réellement impossible. Ou celui qui est le plus insoupçonnable : le Père Brown. Ce serait dommage, le petit bonhomme m'était sympathique, et pourtant, Dieu sait que je n'aime pas les curés.

Qui avait tué ? Bah ! Holmes avait résolu l'énigme, alors pourquoi m'en préoccuper ?

Le repas fut sans entrain et je trouvai le vin rouge de Columbo exécrable, beaucoup trop fort pour moi. Il me vit faire la grimace et parut peiné, qu'y puis-je moi si je n'aime que le blanc ? Maigret, Kay et Ellery firent effort pour entretenir une conversation languissante en évoquant des souvenirs de June.

Holmes et Poirot ne desserrèrent les dents que dans un but alimentaire, ils devaient réviser mentalement leur démonstration. Philip Marlowe, le prêtre et le lieutenant se contentèrent de quelques interventions polies, quant à moi je dis à peine trois mots. Qu'aurais-je pu dire ? Je n'avais pas connu June.

Après le café, Holmes nous invita à passer non dans la bibliothèque où s'étaient tenues nos précédentes réunions, mais dans le grand salon où nous attendaient Pete et les deux sœurs, Phil, Susan et leurs compagnons. C'était la réunion typique de tous les suspects qui termine chaque polar classique, et au cours de laquelle le brillant détective démasque le coupable après vingt pages d'interminables et filandreuses explications. Je trouvais cela tout à fait ridicule mais, après tout, peut-être faut-il avoir assisté une fois dans sa vie à ce genre de cérémonie expiatoire.

Je vis que les sièges avaient été déplacés pour former un grand ovale, Holmes et Poirot étaient assis à une extrémité et je pris place, avec Ellery, sur un sofa qui leur faisait face. Susan me surprit en allant s'asseoir aux pieds d'Hercule comme si elle se plaçait sous la protection du ridicule petit bonhomme. Les bikers formaient un groupe compact à la droite de Holmes, puis venait le personnel de l'hacienda, les détectives étaient scindés en deux, le prêtre et Maigret de notre côté, les autres près de Poirot.

– Mademoiselle, mesdames et messieurs, commença cérémonieusement Holmes, nous sommes réunis ici pour essayer de déterminer qui a tué notre amie June et le jeune Jim Craddle. Chacun sera libre d'exposer sa solution et si nous parvenons à nous entendre sur le nom d'un coupable, au moins pour une majorité d'entre nous, je ferai part de nos conclusions au shérif à son arrivée. Quelqu'un a-t-il des objections à formuler ?

Le Père Brown parut sur le point de dire quelque chose, s'agita, se ravisa. Finalement personne ne bougea.

– Bien. Nous allons faire un tour sinon de table du moins des participants.

Là, il s'était surpassé en humour car je crois bien qu'il en était encore plus dénué que Kay et Poirot.

– Qui veut commencer ?

Je m'attendais à un silence embarrassé, mais non, à la surprise générale Susan leva la main. Holmes lui fit signe qu'elle pouvait parler.

– Pourquoi chercher des complications ? Qui avons-nous ici ? Des motards : ils ne sont pour rien dans ces crimes. Des domestiques : ils avaient tout à perdre dans la disparition de leur patronne. Des braves bourgeois qui ne sont pas des as du lancer du couteau, Lorenz m'a raconté vos essais, et une tueuse professionnelle. C'est certainement elle la coupable, elle avait déjà à moitié liquidé mon pauvre Jim une première fois, elle aura achevé le travail.

Lorenz, fichtre ! Je sentais que la gamine allait vite être consolée, Mr Stillborn II ou III, je ne sais plus, aurait largement pu être son père, mais il est vrai que pour certaines filles un homme n'a que l'âge de son compte en banque.

– Cette accusation n'est pas soutenue par un motif, fit observer Columbo. Il ne suffit pas de savoir que Carol est une championne des arts martiaux, ce dont elle ne s'est pas cachée, pour la croire coupable. Voyons, Susan, pourquoi aurait-elle tué votre ami et June McNally ?

– Je ne sais pas, simplement je ne vois pas quelqu'un d'autre le faire.

– Un peu faible comme argument, dit Ellery en riant.

– Un commentaire, Miss Evans ? me demanda Holmes.

– Aucun, sinon naturellement que Susan se trompe. Je pense que la douleur l'égare, mais je suis sûr que notre ami Poirot saura l'adoucir.

Ce dernier eut un petit sourire et se contenta de tirer sur le bout droit de sa moustache sans rien ajouter. Je vis que Kay l'observait d'un air pincé, elle devait être choquée.

– Bien, reprit Holmes, l'intervention de Miss Susan aura au moins eu l'avantage de faire démarrer la discussion. Messieurs les motards, avez-vous une autre suggestion à faire ?

Ils secouèrent tous négativement la tête.

– Pete et ces dames ? Non plus ! Alors, c'est à vous, mon Père.

Brown nous surprit tous en se levant comme pour donner plus de force à ses propos.

– Mes amis, j'ai déjà failli parler il y a un instant, maintenant je n'hésite plus : je vous conjure de mettre fin à cette réunion, à ce jeu dérisoire.

– Ce n'est plus un jeu, objecta Poirot.

– A ce jeu dérisoire, répéta Brown. Je sais qui vous allez accuser et je sais que vous vous trompez. Vous allez faire de la peine à cette personne et peut-être provoquer une grande injustice. C'est à Dieu de juger et de punir, à la rigueur à la justice des hommes, certainement pas à vous. Brisons là, et attendons paisiblement l'arrivée du shérif. Croyez-moi, je vous en prie.

– Qui allons-nous accuser ? demanda Holmes. Si vous le savez vraiment, je serai peut-être ébranlé, mais alors il faudra nous révéler comment vous pouvez être certain que nous nous trompons.

– Je vais procéder comme vous l'avez fait le soir de la murder party, mon ami, et écrire ce nom sur un papier que je placerai sur la table de bridge. Puisque vous ne voulez pas entendre raison, vous aurez tout à l'heure la preuve que je ne parlais pas à la légère, alors peut-être vous m'écouterez.

Il s'exécuta puis revint s'asseoir, redressant sa petite taille comme pour donner plus de solennité à son avertissement. Ellery me souffla à l'oreille :

– J'ignore ce qu'il a en tête, mais il a du cran, ce curé.

Holmes se tourna vers Maigret.

– Vous, monsieur, en tant qu'ancien mari de June,

229

vous devez être intéressé au châtiment du coupable, même si vous n'avez pas de suggestion à nous faire.

– En effet, je vous l'ai dit. J'ai aimé June, je crois bien que je l'aimais encore, et pourtant, tout comme le Père, je pense que ce nous faisons n'est pas une bonne chose. Vous n'êtes que des détectives amateurs, vous n'avez ni expérience ni, surtout, responsabilité. C'est à la police de mener ce genre d'enquête, une erreur de notre part pourrait l'aiguiller sur une fausse piste et avoir des conséquences dramatiques pour un innocent. Je pense également que nous devrions en rester là.

– Je comprends vos sentiments, monsieur, même si je ne les partage pas. A vous, Miss Evans.

Je soutins le regard aigu de Holmes.

– Je n'ai personnellement rien contre le fait de démasquer l'assassin, mais je n'ai aucune solution à vous proposer. Je n'ai même pas de soupçons contre quelqu'un en particulier.

– Vous me surprenez, Miss Evans, j'aurais cru qu'une personne aussi décidée que vous et qui, à vous en croire, a participé à des enquêtes réelles, aurait eu son idée sur cette affaire. Étrange. Bien, à vous, Queen.

– J'ai une solution à proposer, mais j'ai aussi un fait nouveau à vous apprendre.

Un murmure parcourut l'assistance, j'étais moi-même étonnée. Je connaissais le fait nouveau, l'histoire de la clef, mais qu'avait-il en tête ? Mon horrible soupçon me revint : et s'il allait accuser Pete uniquement pour détourner les soupçons de lui ? Quelle horreur ! A moins qu'il n'ait réellement résolu l'affaire. Dans un sens ce ne serait pas surprenant, au cours de la murder party il s'était montré aussi doué que Holmes, Poirot et Columbo, puis il avait semblé un peu à la traîne, plus préoccupé de moi que des meurtres. J'en avais été sottement flattée. Sans doute menait-il son enquête de son côté à l'insu de tous, même de moi, ce que je n'appréciais guère. Je me demandais bien quelle pouvait être sa solution de l'énigme.

– Un fait nouveau ? demanda Poirot.

Ellery sortit alors la clef de sa poche, demanda à Dolores de l'identifier puis fit le récit de nos supputations.

– Vous auriez dû nous avertir plus tôt, dit Holmes, mécontent. Qui prouve d'ailleurs que vous ayez cette clef depuis hier ?

– Je pense que Dolores m'a vu la prendre.

Tout le monde se tourna vers la jeune femme qui se troubla sous les regards. Son émotion rendait son anglais plus hésitant.

– Euh... *pues...* J'ai vu le Dr Sandford *tomar* quelque chose dans le tiroir, *es verdad, pero* je n'ai pas pu apercevoir ce que c'était, reconnut-elle.

– Sur le moment, bien sûr, lui dit Ellery, mais vous avez vérifié ensuite, n'est-ce pas ?

– Eh bien, *si.*

– Pourquoi ne pas en avoir parlé ce matin quand

nous cherchions comment on avait pu pénétrer dans la maison ? demanda Holmes d'un ton de reproche.

La pauvre fille se troubla encore plus et parut sur le point de pleurer.

– *Yo*, je ne m'occupe que de mon service, *nada mas*, ce que faisaient les invités de la señora ne me regardait pas. Ce matin, je vous ai vu courir partout, je n'ai pas fait attention. Tout ça, c'est des histoires de *gringos*.

– Mais vous aviez prévenu Pete, dit doucement Ellery.

– *Claro que si.*

– Je vais maintenant vous expliquer mon hypothèse, reprit-il. Mais d'abord je précise qu'il s'agit bien d'une hypothèse, pas d'une accusation et je ne la répéterai pas devant les autorités, j'ai été sensible aux arguments du Père Brown. C'est à la police de découvrir qui est coupable et de procéder à son arrestation, moi je propose une solution entre nous, c'est tout.

Il marqua une pause pour s'éclaircir la voix, ou pour tenir en haleine son public car les toubibs sont assez cabotins, je l'ai souvent constaté. En tout cas, c'était réussi, tout le monde était suspendu à ses lèvres.

– Nous sommes en présence de deux meurtres commis avec la même arme, il est donc logique de les attribuer tous deux au même criminel. Du moins, à première vue. En fait, cette logique est si peu évidente que certains d'entre vous ont évoqué hier la possibilité d'une erreur sur la victime. Ceci montre bien que, au fond, vous n'acceptez pas l'idée qu'une même personne ait pu tuer June McNally et Jim Craddle : c'est absurde. Mais, en revanche, si j'admets que Crâne de Fer est bien la personne qu'on voulait tuer, alors il faut supposer un meurtrier distinct pour chaque crime.

– Oh ! c'est ça votre solution, dit Holmes d'un ton un peu méprisant.

– Oui, c'est ça, repartit Ellery sans se troubler. N'en déplaise à cette chère Susan, je pense qu'elle nous a menti et que sa présence près de l'hacienda n'avait d'autre but que de faire éliminer June par son amant, Jim. Ainsi elle pourrait réclamer l'héritage auquel elle pense avoir droit. Pour moi Crâne de Fer errait autour de la maison dans l'intention d'y pénétrer lorsque le tremblement de terre s'est produit, il a alors saisi sa chance et tué June.

– Stupide ! s'écria Susan. Jim ne m'a pas quittée de la nuit, vous êtes vraiment dingue. Pauvre mec !

– Ce que vous dites est possible, Queen, dit de son côté Columbo. Du moins en théorie. Mais cette hypothèse fait la part belle au hasard, il faut admettre que ce garçon se trouvait dans l'enceinte de l'hacienda au moment précis du séisme. C'est difficile à admettre.

– La solution que nous propose le Dr Sandford a au moins un mérite, dit Kay un sourire ironique aux lèvres, accuser un mort ne froisse personne et il n'est pas là pour se défendre. Quant à sa veuve éplorée, elle me semble déjà sur le chemin de la consolation.

– Écrase, sale punaise, lança Susan, ou je te fais sauter ton dentier.

– Je continue, reprit Ellery d'une voix forte pour rétablir le calme. J'ai donc un motif et un meurtrier pour l'assassinat de June, il me reste à trouver un autre motif pour celui de Jim Craddle et le nom du coupable en découlera. Ce ne peut être ni l'intérêt ni l'amour, il reste donc la vengeance. On a voulu venger la mort de June, c'est évident. Qui peut avoir fait cela ? L'un d'entre nous ? Peu probable, aucun ne l'aimait à ce point, sauf peut-être Maigret, mais il suffit d'avoir vécu trois jours en sa compagnie pour se rendre compte qu'il serait incapable de commettre un meurtre prémédité. Or, celui-ci le fut, soigneusement, comme vous allez le voir. Quels autres coupables possibles avons-nous : Carol Evans ? Elle avait été engagée comme garde du corps et a échoué dans sa mission, soit, mais elle connaissait à peine la victime, n'a reçu aucun salaire et, je crois pouvoir le dire, avait d'autres préoccupations ces derniers jours. Le sort de Jim Craddle lui était tout à fait indifférent.

Il marqua une nouvelle pause. Aucun doute, il allait accuser Pete. L'ennui est que je n'y croyais pas un seul instant, c'était une possibilité théorique, une construction de l'esprit à la Ellery Queen (l'auteur), rien d'autre. Pis, c'était à mes yeux la preuve que le criminel n'était autre que l'homme que j'aimais, El lui-même. Je sentis une boule d'angoisse se former au creux de mon estomac.

– Une seule personne a pu vouloir venger June McNally, en a eu l'occasion et possédait la force et l'habileté pour le faire : Pete Keyhoe. On l'a vu, il lance le poignard aussi bien que Carol, et était tout dévoué à sa maîtresse. Surtout, lui seul a eu la possibilité, sous prétexte d'effectuer une dernière ronde de surveillance, d'aller faire un tour du côté des chambres des motards et de constater l'échange survenu entre Jim et Susan.

Angela devint livide et Dolores porta la main à sa gorge pour étouffer un sanglot. Le régisseur se dressa d'un bond :

– C'est vrai, je suis allé voir si tout allait bien vers une heure du matin, s'écria-t-il d'une voix altérée, mais je vous jure, docteur Sandford, que je n'ai pas tué ce garçon. Quand je suis passé, Miss Susan était encore avec lui. Croyez-moi, il était tout à fait vivant quand j'ai regagné ma chambre, je les ai entendus faire l'amour. Ah ! combien le Père avait raison, toutes ces accusations qu'on lance à la légère ne font que blesser des innocents.

– Ce n'est pas une accusation, Pete, juste une hypothèse dont je ne ferai pas part à la police. Si je me trompe, je vous présenterai mes excuses. Pour l'instant, je termine avec deux éléments importants : d'abord le poignard. Holmes faisait remarquer que le personnel savait qu'il n'était pas nécessaire de forcer le tiroir pour le récupérer. Exact, mais cela revenait alors à signer le crime, Pete était obligé de le fracturer pour éloigner de lui les soupçons. Ensuite, la clef que Dolores m'avait vu prendre. Bien sûr, Pete n'a pas eu besoin d'aller la chercher dans ma chambre, mais il a suffi que sa femme ou sa sœur ait versé un narcotique dans mon verre pour que j'en déduise qu'on l'avait utilisée.

– Et les éclats de verre de la fenêtre du couloir ? demanda Columbo.

– Ah ! c'est cette dernière touche qui montre bien la préméditation. Cette maladresse voulue, qui semble destinée à faire accuser Pete ou Carol, les disculpe au contraire. Si je n'avais pas parlé de la clef qui était en ma possession, soyez sûrs que Dolores s'en serait souvenue au moment opportun, et les soupçons auraient été rejetés sur une personne venue de l'extérieur.

– ¡ *Sangre de Dios* ! Je jure devant Dieu que je n'ai pas tué ce pauvre garçon et Angela pourra témoigner que je n'ai pas quitté la chambre de la nuit.

– J'ai terminé, dit Ellery sans se préoccuper davantage des dénégations de Pete.

Un silence s'ensuivit, chacun réfléchissait à la solution proposée. Moi, j'étais atterrée.

– C'est une possibilité, finit par dire Poirot, aussi difficile à réfuter qu'à prouver. Mais, mon cher Queen, vous ne me ferez jamais admettre l'existence de deux assassins différents utilisant tous deux le lancer de poignard.

– Avant de poursuivre, une question, mon Père,

demanda Holmes. Pete Keyhoe est-il le nom que vous avez inscrit sur la feuille de papier ?

– Non.

– Alors, voilà au moins un point sur lequel nous sommes d'accord. A vous, Marlowe.

– Je suis dans le même cas que l'ancien mari de June, peu familier des enquêtes criminelles et je n'ai aucune solution à proposer. Tout comme le Père Brown je pense que nous n'avons pas à nous substituer à la police et je regrette qu'on vienne d'accuser publiquement Pete qui est un homme sympathique. Je l'ai apprécié quand nous avons construit ensemble un puis deux cercueils, j'avais l'impression que nous étions devenus Ed Coffin et Digger Jones, les héros de Chester Himes. Ne jouez pas sur les mots, Queen, hypothèse, accusation, c'est exactement la même chose, vous avez blessé Pete.

– Merci de vos commentaires, dit Holmes. Nous vous écoutons Ms Kay, ou docteur Snyder si vous préférez.

– Même réflexion que Philip et Maigret, je ferai une bien mauvaise détective, je n'ai aucun nom à proposer. En revanche, Holmes et Poirot ayant eu la bonté de m'exposer leur théorie, j'ai eu la satisfaction d'apporter un maillon à leur chaîne en leur faisant part d'un fait connu de moi seule. Je n'ajouterai rien pour l'instant.

– A vous, lieutenant.

Columbo leva la main dans un geste familier à

Peter Falk, puis se gratta la tête et nous examina tous de son air rusé.

– Ne nous trompons pas, il n'y a pas ici de lieutenant du Bureau des homicides, juste un petit viticulteur qui a regardé trop de feuilletons à la télé. Je ne suis pas une grosse tête comme vous m'sieur Holmes, ou vous Queen, et tout ce qui vient d'être dit m'a fait réfléchir. Nous aurions peut-être mieux fait d'écouter le Père Brown. Je crois que nous avons résolu cette énigme, je le crois sincèrement et je suis sur la même longueur d'onde que Holmes et Poirot. Mais je mesure la gravité d'une accusation, je dirai plutôt d'une dénonciation, à la police. Après tout, nous n'avons aucune preuve matérielle, que des présomptions. J'approuve donc ce qui va être exposé par nos deux amis, mais je demande instamment que tout ceci reste entre nous et que nous n'en fassions pas part au shérif.

– Très bien, Columbo, si c'est ce que vous souhaitez, dit Holmes, il en sera ainsi. Moi, je n'ai pas les mêmes doutes que vous, aussi irai-je droit au but, le coupable est et ne peut être que Carol Evans.

Chapitre 13

18 janvier - 16 heures

– Mais c'est insensé, Holmes, vous avez perdu l'esprit ! s'écria Ellery. Carol était là pour protéger June, elle ne pouvait en aucun cas en vouloir à sa vie.

L'indignation d'El me fit du bien, non que je me sois souciée de cette ridicule accusation, combien de fois des flics ne m'ont-ils pas chargée de tous les crimes possibles, mais, au moins, il me restait fidèle. En revanche, j'étais déçue par Holmes qui m'avait paru intelligent, je dirais même brillant et, quoique à un degré moindre, par Poirot. Ainsi, c'est tout ce que ces deux débiles, ces trois même car Columbo était du même avis qu'eux, avaient trouvé comme solution ! C'était grotesque.

– Amusant, dis-je.

– Nous avons d'abord pensé comme vous, mon cher Queen. En tant que garde du corps, Miss Evans était à première vue insoupçonnable. Je dirai même la plus insoupçonnable de nous tous. Pourtant, à y regarder de plus près, elle seule correspond au profil que nous avons établi du meurtrier.

Le profil maintenant ! On aurait cru entendre un de ces abrutis de « profileurs » du FBI ânonner la leçon apprise à la base de Quantico. On réunit tous les éléments connus sur un meurtre et on en déduit un schéma de comportement de l'assassin, de là on peut en inférer sa race, son âge, son sexe, ses névroses, etc. C'est très bien en théorie, l'ennui est que ça ne marche jamais dans la réalité. Je me souviens d'un étudiant en médecine accusé à tort parce que la méthode du criminel pour découper ses victimes suggérait des connaissances chirurgicales, finalement le coupable était un boucher !

Poirot prit la parole à son tour :

– Il s'agit d'une personne très entraînée physiquement, utilisant du matériel militaire, dénuée de toute pitié et d'une intelligence moyenne.

Portrait peu flatteur, mais ressemblant, je n'avais pas trop d'illusions sur moi-même. L'ennui est que, pour une fois, je n'avais rien à me reprocher. Ellery demanda encore :

– Mais enfin, pourquoi aurait-elle fait cela ?

– Pour de l'argent, répondit sèchement Holmes. Bien entendu Miss Evans ne travaillait pas pour son compte, mais pour celui de l'héritier inconnu, la vengeance n'est pour rien dans ces crimes, croyez-moi, nous ne sommes pas dans *Une étude en rouge*. Tout d'abord, Queen, permettez-moi d'exposer les raisons qui me font croire à la culpabilité de cette femme, vous pourrez les critiquer ensuite. Incidemment, nous ne sommes pas assourdis par ses cris d'innocence...

– J'ai déjà rejeté l'accusation de Susan, mon bon Sherlock, dis-je, je n'ai pas l'intention de me répéter, cela me fatigue. Je vous écoute, cela promet d'être drôle.

– Ravi de vous amuser, Miss Evans, je savais qu'en matière de sang-froid vous n'aviez de leçon à recevoir de personne. Commençons donc. Cette jeune dame est, et de loin, la plus entraînée physiquement de nous tous, nul ne le contestera. Elle utilise du matériel militaire, pistolet .45, chaussures de commando, et la lampe abandonnée par l'assassin était un modèle de l'armée, je ne serai pas surpris que le poignard le soit également. Nous avons constaté son sang-froid et son insensibilité au moment de la mort de June, et sa brutalité, sa cruauté même, avec Jim et Phil. Enfin, et je vous prie de m'excuser de manquer de courtoisie, nous avons pu nous rendre compte qu'elle ne brillait pas par son esprit au cours des conversations que nous avons eues avec elle.

– Vous devenez grossier, Holmes, dit Ellery.

– Pardonnez-moi, c'était juste pour faire remarquer qu'elle et elle seule colle parfaitement au profil du meurtrier défini par Poirot, Columbo et moi-même.

– Et si ce n'est pas le bon profil ? demandèrent Marlowe et Maigret d'une seule voix.

241

Un bon point pour eux, pensais-je.

– Laissez-moi continuer. En ce qui concerne le premier crime, nous ne pouvons rien prouver. Il suffit de savoir que Miss Evans a pu le commettre pendant que nous recherchions le Père Brown. Pour le second, en revanche, la brillante démonstration faite par Queen, et qu'il appliquait à Pete Keyhoe, convient tout aussi bien pour elle. Mieux même, car le but d'Evans n'était nullement de tuer Jim mais d'éliminer la nouvelle héritière qui venait d'apparaître. Or, elle n'était pas au courant de l'échange de chambre, Pete a fait sa dernière ronde seul, et elle ne savait pas non plus comment ouvrir le tiroir où j'avais rangé le poignard, c'est pourquoi elle a dû le fracturer. Enfin elle a été maladroite – manque de finesse, désolé Queen – en voulant faire croire que l'assassin s'était introduit par la fenêtre du couloir. Certes Miss Evans savait que vous aviez une clef, mais elle n'est jamais allée imaginer le raisonnement compliqué que vous nous avez exposé tout à l'heure : vous avez dormi tard parce que vous étiez fatigué, rien d'autre.

– Tout ce que vous avez démontré, Holmes, c'est que Carol pouvait avoir commis ces crimes, repartit Ellery. C'est vrai pour à peu près tout le monde ici, sauf Kay et peut-être vous. Je vous rappelle par ailleurs que Carol est un ancien agent d'une unité d'élite de la CIA, qu'elle a été recommandée à June par la police de San Francisco et qu'elle n'a rien d'un tueur à gages du Syndicat.

– Ces points m'ont longtemps arrêté, je l'avoue, jusqu'à ce qu'une information fournie par le Dr Snyder vienne résoudre cette apparente contradiction.

Qu'était allée inventer cette pute borgne ? Elle n'oserait quand même pas faire un faux témoignage... Il est vrai qu'il faut s'attendre à tout de la part d'une femme jalouse.

– A vous, Kay, dit Poirot.

– Vous savez tous maintenant que June était très vieux jeu pour tout ce qui concerne le sexe, même entre femmes nous n'en parlions jamais. Quand June m'a confié qu'elle avait convié à cette réunion une ex-agente de la CIA, nommée Carol Evans, elle a paru gênée et m'a dit : « Cette personne m'a été chaudement recommandée, mais on m'a prévenue qu'elle n'était pas comme tout le monde... que... enfin, que c'était une lesbienne. Je tenais à vous le dire parce que... j'espère qu'elle ne vous importunera pas. » Or, s'il y a une chose évidente – et ce n'est pas le Dr Sandford qui me contredira, n'est-ce pas, Steve ? –, c'est que *notre* Miss Evans n'est pas homosexuelle. Pour en être tout à fait sûre, je suis même allée jusqu'à m'approcher d'elle, nue, dans le sauna ce qui ne l'a nullement troublée.

Là, j'étais stupéfaite, je m'attendais à tout sauf à ça ! On m'avait assez reproché mes goûts saphiques au cours de ma vie, pour ne pas m'attendre à être également montrée du doigt lorsque je me conduisais en femme normale. C'était dingue ! Et l'autre garce qui était venue me tourner autour à poil...

Finalement, l'énormité de la chose me fit éclater de rire.

– C'est ridicule, s'exclama Ellery. On aura mal renseigné June, c'est tout.

– Inattendu, et peu probant, dit Philip Marlowe.

Ce garçon avait du bon sens, il commençait à me plaire. Maigret considérait Kay avec ahurissement et le Père Brown haussa imperceptiblement les épaules. A mon avis, elle avait fait un flop avec sa prétendue révélation.

– J'ai peur que ce ne soit pas aussi simple, mon cher Queen, reprit Holmes. Un même officier de police, une femme du Bureau des homicides, a recommandé Miss Evans à June et lui a signalé cette... particularité. Il ne s'agit certainement pas d'une invention de sa part, dans quel but ? En revanche, il est compréhensible qu'elle ait tenu à prévenir June, sachant combien cette dernière pouvait se montrer collet monté.

Le pire est qu'il avait raison. Le Sgt Nicole Bryant m'aimait bien, mais avait été choquée par ma liaison avec Sue Ann et en avait parlé à Mrs McNally. Je me souvenais que June y avait fait allusion. Tous les flics, même une gentille fille comme Nicole, sont esclaves du « politiquement correct ».

– Ceci éclaire ces meurtres d'un tout autre jour, reprit Holmes, c'est à *Une affaire d'identité* du canon holmésien qu'il faut désormais nous référer. J'ai grand peur qu'une envoyée du Syndicat n'ait pris la place de la véritable Carol Evans. Rappelez-vous que

June ne la connaissait pas et qu'elle n'a certainement pas vérifié l'identité de la jeune femme qui se présentait à elle. Personne ici ne peut affirmer savoir réellement qui est cette personne, vous pas plus qu'un autre, Queen.

Le silence qui suivit cette déclaration prouva qu'elle avait impressionné les esprits. J'aurais moi-même eu des doutes si je n'avais su qu'il s'agissait d'un ramassis de sottises. Ellery allait-il me lâcher et regarder avec épouvante la mante religieuse qu'il avait tenue dans ses bras ?

– Je vous rappelle, Holmes, que j'étais en possession d'une clef de la maison. Rien ne prouve que j'ai réellement dormi tard ce matin comme je l'ai prétendu. En fait, le criminel peut aussi bien être moi que Carol ou Pete.

– Geste chevaleresque, Queen, mais qui ne convainc personne : vous n'aviez pas de motif, un tueur à gages, si. Il agissait pour le compte de l'héritier inconnu, quelqu'un qui ne se trouve pas parmi nous. Rien ne prouve que cette femme soit la personne qu'on a recommandée à June, et son comportement suggère le contraire, il n'y a pas à sortir de là.

– Je suis sûr que Carol peut prouver son identité. Tu as forcément ton permis de conduire, *darling*, puisque tu es venue en voiture, ajouta-t-il en se tournant vers moi.

– C'est beau l'amour, dit Kay à mi-voix.

– Il est dans ma chambre, si Mr Holmes veut bien

m'y accompagner, je me ferai un plaisir de le lui montrer. C'est la première fois qu'on m'accuse de ne pas être moi, c'est là une expérience nouvelle et je vous suis reconnaissante de m'avoir permis de la vivre. Sans vouloir vous vexer, je me suis bien amusée. Et puis, je tiens à te remercier, El, je suis touchée de ta confiance, j'avoue qu'à ta place j'aurais douté.

A vrai dire, en prononçant ces paroles j'étais loin d'être certaine de son innocence. Ce garçon avait meilleur fond que moi, il me défendait avec acharnement et sans se poser de questions, j'aurais voulu pouvoir être pareillement aveugle. Holmes et Poirot se levèrent.

– Nous vous suivons, Miss, dit ce dernier.

– Si vous alliez plutôt regarder le mot que j'ai déposé sur la table de bridge, dit le Père Brown d'une voix forte.

Il nous fit tous sursauter. Les dernières révélations nous l'avaient fait un peu oublier. Holmes parut surpris et alla chercher la feuille de papier. Il la déplia et lut en même temps à voix haute :

– *« Le coupable n'est pas Carol Evans. »*

J'applaudis bruyamment comme à une réplique de théâtre bien venue, Ellery se joignit à moi suivi par Maigret, Marlowe, et même Columbo qui se montrait bon public et m'adressa un clin d'œil inattendu. Holmes resta figé sur place, stupéfait, ce fut Poirot qui reprit le flambeau :

– Vous nous en dites trop ou pas assez, mon Père.

Comment saviez-vous que nous allions accuser Miss Evans ? Et où pêche notre raisonnement ?

– Je parais souvent être ailleurs, mais j'observe, je me soucie des gens, je les regarde vivre, j'ausculte leur âme, en un mot : je les aime. J'ai vu vos conciliabules, les regards que vous jetiez à cette jeune femme, votre attitude, etc., c'était clair. Surtout, j'ai essayé de raisonner comme vous, je me suis mis à votre place, à défaut de pouvoir prendre celle du criminel, et je suis arrivé à la même conclusion : elle était la coupable la plus évidente si l'on s'en tenait aux preuves indirectes. Seulement voilà, ce n'est pas elle.

– Mais enfin, comment pouvez-vous en être sûr ? explosa Holmes.

– Parce que j'ai vu le meurtrier pénétrer dans la maison cette nuit. Inutile de me demander son nom, dans l'obscurité je n'ai aperçu qu'une silhouette indistincte, rien d'autre. Tout ce que je puis dire est qu'il s'agissait certainement d'un homme. C'est à la police de débrouiller l'affaire maintenant, je demande une nouvelle fois que nous cessions de lancer des accusations au hasard.

Un nouveau silence suivit cette déclaration, tout le monde était abasourdi. Holmes vint lentement se rasseoir, un pli profond barrait son front.

– Vous avez aperçu l'assassin au moment où il est entré par la fenêtre du couloir, vous étiez alors dans l'écurie, vous l'avez précisé... Il venait donc du dehors... Mais, bon sang, pourquoi y a-t-il du verre à l'extérieur alors ? Et pourquoi n'avez-vous pas parlé plus tôt ?

– J'allais le faire mais, quand je vous ai dit avoir entendu le bris de la vitre, vous ne m'avez pas laissé achever ma phrase, Holmes. Vous étiez pressé d'exposer votre théorie du meurtrier venu de l'intérieur. Alors, je n'ai rien ajouté, de toute façon cela ne servait à rien puisque je ne l'avais pas reconnu, il était presque dans la maison quand je suis sorti de l'écurie.

Ellery se pencha à mon oreille :

– A rien, c'est vite dit. Ce témoignage a une utilité : il donne un bel alibi au petit curé qui, tu me l'as dit toi-même, est inconnu dans la paroisse où il prétend officier.

– Oh ! tu n'as pas honte.

J'étais réellement indignée, je ne pouvais admettre qu'il soupçonne un homme qui m'avait si bien défendue. Que je n'ai jamais entendu parler de lui à Sausalito devait pouvoir s'expliquer, et puis je trouvais que ce prêtre avait une bonne tête. Il suffisait de le voir pour se rendre compte qu'il était incapable de commettre un meurtre.

Un bruit énorme nous fit sursauter, un hélicoptère descendait dans la cour de l'hacienda. Holmes réclama le silence de la main :

– Je propose d'exposer les faits le plus impartialement possible au shérif, après tout le Père a raison, ce n'est pas à nous de fournir un coupable aux autorités.

– Cela ne m'empêchera pas de dire que je considère cette femme comme un imposteur, dit Kay en me désignant.

– Vous ferez comme vous voudrez, chère amie. En attendant il ne serait pas inutile d'aller tous nous munir de nos permis de conduire ou de quelque autre papier d'identité, lui répondit Poirot. Les policiers aiment savoir à qui ils ont affaire.

Le shérif Hopkins était une véritable caricature du flic mal dégrossi, énorme, le visage rougeaud, l'estomac proéminent, il puait la bière et, dès son entrée, envoya un jet de salive noirâtre dans un pot de ficus sous l'œil horrifié de Dolores. Il ne salua personne, nous jeta à peine un regard, et se laissa tomber dans un fauteuil trop petit pour son postérieur. Son adjoint, un jeune homme maigre au teint bilieux, resta debout derrière lui.

– Qu'est-ce qui se passe dans cette putain de baraque ?

Holmes voulut commencer ses explications, mais le shérif le coupa :

– C'était quoi ? Une partie fine ?

Il désigna Susan et Kay qui se trouvaient dans son champ de vision.

– Et ça, c'est des putes ?

Kay se mit à glapir comme si une tarentule l'avait piquée au mauvais endroit et nous eûmes droit à tous ses titres universitaires, ce qui ne parut pas autrement troubler le gros homme.

– Bon, vous êtes toubib, quoi ! C'est pas la peine de faire tout ce ramdam, ici la justice c'est moi, ma petite dame, alors fermez-la. Bon, c'est la vioque qui a été tuée ?

– C'est indigne ! ne put s'empêcher de s'exclamer Kay.

– Pas seulement elle, répondit Columbo qui voyait Holmes trop furieux pour poursuivre. Un jeune motard également. L'ami de cette jeune fille.

Le shérif jeta un coup d'œil à Susan et partit d'un rire qui se termina en rot sonore.

– Z'appelez ça une jeune fille ? Moi, j'appelle ça un petit tapin, hein, Susan ?

– Vous me connaissez ?

– Ouais, c'était qui ton mac ?

– Jim Craddle était pas mon mac, on était ensemble, c'est tout.

– Ah ! Crâne de Fer, cette petite ordure. Qu'est-ce qu'ils foutaient là, ces pédés ?

Columbo expliqua patiemment. Holmes était sur le point d'exploser de rage et le visage de Kay devenait de plus en plus rouge brique. Notre brave Rital faisait son possible pour éviter un affrontement général, tous devaient avoir envie de vider ce gros porc à coups de pied au cul, mais c'était lui qui avait l'hélicoptère et cela lui donnait un avantage certain.

– Bon, allez, j'ai pas toute la nuit, racontez, mon vieux.

250

L'exposé de Columbo fut sans doute moins brillant que celui qu'aurait fait Holmes, mais il était clair et complet. Le shérif n'intervint qu'une seule fois, à l'énoncé de la distance qui séparait la terrasse de la chambre de June :

– Putain, douze mètres, et de nuit !

Quand le récit des meurtres fut terminé, Kay surmonta sa fureur pour expliquer pourquoi je devais être un imposteur. Le flic me jeta un coup d'œil indifférent, puis un second plus attentif. Il se retourna pour lancer un deuxième jet de salive vers le ficus.

– Bon, dit-il, je résume. Vous jouez à ce jeu à la con, tout se passe bien, on tue la vieille après le tremblement de terre, les pédoules vous rejoignent et on retrouve Crâne de Fer avec le couteau qui avait servi au premier meurtre planté entre les deux épaules. Accessoirement la petite pute prétend être la fille du vieux McNally, et cette bonne femme toubib affirme que votre Carol Evans n'est pas la vraie. C'est bien ça ?

– Oui, reconnut Poirot à regret.

Je glissai à l'oreille d'Ellery :

– Au moins, il comprend ce qu'on lui dit.

– Tu as raison, mais qu'est-ce qu'il pue.

Le shérif s'extirpa péniblement de son fauteuil, appuya sur son énorme panse pour libérer un nouveau rot, et nous dit :

– J'vais examiner les lieux, Pete viendra avec moi. En attendant, donnez vos permis de conduire à mon adjoint, qu'on fasse connaissance.

Il se dirigea pesamment vers la porte puis, au dernier moment, se retourna.

– J'vais quand même vous dire deux choses. Quand la mère de Susan, une belle pute celle-là aussi, a juré être enceinte de lui, c'est moi que le vieux McNally a chargé de faire effectuer les analyses de recherche en paternité. J'appartenais au bureau du coroner à l'époque. T'es pas plus la fille de McNally que moi du pape, petite garce, et tu étais parfaitement au courant.

Susan parut soudain gênée.

– Ben, on sait jamais, vous savez les tests...

– Tu as raconté des bobards pour qu'on t'accepte ici avec les autres petites frappes et tu as joué à la dame. Tu as seulement oublié de dire que tu avais déjà été arrêtée pour prostitution et usage de stupéfiants à San Fernando alors que tu étais encore mineure. Je craignais une tentative de chantage sur le vieux, aussi je vous ai eus à l'œil, ta mère et toi. Si vous voulez, on peut accuser cette fille d'abus de confiance et je l'embarque.

– Ce n'est pas nécessaire, de toute façon il eût été inhumain de laisser mourir ces jeunes gens de faim et de froid, répondit fermement Poirot.

Pas de doute, la petite avait trouvé un protecteur et le rappel de ses antécédents peu honorables ne semblait pas avoir altéré l'intérêt que lui portait le riche Lorenz M. Stillborn III. Moi, je pensai qu'une bonne fessée, suivie d'une cure de désintoxication, eût été plus appropriée, mais ce n'étaient pas mes affaires.

– Second point. L'ex-agent de la CIA Carol Evans s'est fait connaître à San Francisco en résolvant l'affaire Dickinson. Le jour où elle a démasqué l'assassin en plein prétoire, j'étais dans la salle, l'affaire avait passionné tout l'État. Alors, quand cette pauvre conne, reprit le shérif en désignant Kay de son gros doigt boudiné, vient raconter des salades sur Miss Evans, j'aime pas. C'est une des rares femmes que je respecte, si vous l'aviez vue sauter par-dessus le box des témoins pour arrêter le mec, vous comprendriez pourquoi.

Il se tourna vers moi et ajouta :

– Si vous voulez déposer une plainte en diffamation, je suis prêt à l'enregistrer.

Et, après un dernier jet de salive dans le pot du ficus, il sortit dignement de la pièce, nous laissant tous muets. Ce fut Holmes qui récupéra le premier.

– Je vous prie d'accepter mes excuses, Miss Evans, dès lors que vous êtes bien la personne qu'attendait June, toute mon hypothèse s'effondre. Veuillez me pardonner.

– Et pourquoi ? s'emporta Kay. Je suis peut-être une pauvre conne, comme le dit cette caricature puante de flic véreux, mais pas une idiote. Que Carol soit bien celle qu'attendait June, soit, mais c'est une mercenaire, alors on a pu l'acheter.

Un murmure général de protestation montra que le vent avait tourné en ma faveur.

– Non, docteur Snyder, lui répondit rudement Holmes. Quand un maillon casse dans une chaîne de raisonnement, toute la chaîne est brisée. J'ai été lamentable, et je comprendrais que Miss Evans ne me le pardonne jamais, elle aurait raison.

– Je suis aussi coupable que vous, mon cher Holmes, dit Poirot, et le lieutenant partageait notre avis. Je présente aussi mes excuses, la vérité est que nous avons tous été nuls.

– C'est vrai, dit Columbo, et je ne pourrais même pas vous envoyer de mon vin pour me faire pardonner, Carol, vous ne l'aimez pas.

Je crois que c'était ce dernier point qui le désolait le plus.

– Mais je suis content que ce ne soit pas vous, ajouta-t-il, je vous aime bien.

– Ne vous excusez pas, messieurs, j'ai l'habitude d'être accusée à tort. Dans une demi-douzaine de villes on m'impute l'augmentation du nombre de morts violentes dès ma descente d'avion. Cela m'amuse plutôt et je ne vous en veux vraiment pas. Quant à être nuls, je ne suis pas meilleure que vous car je n'ai toujours aucune idée de l'identité du coupable. Mon cher Luigi, c'est la couleur de votre vin que je n'apprécie pas et non sa qualité, si vous avez du blanc, vous pouvez m'en faire parvenir une caisse, je vous donnerai mon adresse à Sausalito.

– A Sausalito ! s'exclama le Père Brown, mais c'est ma nouvelle paroisse. Je n'y suis encore jamais allé et je devais la rejoindre aujourd'hui... Oh ! il faut que je téléphone à l'évêque, il doit s'inquiéter. Nous nous y verrons, Carol.

Il se leva et se précipita vers le téléphone. J'en profitai pour saisir Ellery par la main et l'entraîner hors de la pièce. Je commençais à en avoir assez de ces réunions interminables. Une fois dans ma chambre, c'est moi qui l'embrassai la première, il avait bien mérité ça. Il me rendit mon baiser, mais, pour une fois, ne tenta pas de me violer sur place, il semblait préoccupé. Finalement, il se laissa tomber sur le fauteuil et me prit sur ses genoux.

– Cette Helen, quelle garce quand même ! Aller inventer que tu étais lesbienne, on n'a pas idée !

Je n'aime pas les situations fausses, de plus les hommes attachent peu d'importance aux relations saphiques, dès lors que la femme est bisexuelle.

– Elle n'a rien inventé, lors de l'affaire Dickinson j'ai eu une liaison avec la fille de la victime. La détective qui m'a recommandée à June McNally a dû l'apprendre et le lui aura dit.

Il parut éberlué.

– Pourtant, tu n'es pas...

– Il n'y a eu que deux hommes dans ma vie avant toi, Steve, deux. Tu devrais être content. Soyons franche, deux hommes et un certain nombre de minettes.

Je vis son regard vaciller un instant, puis il eut un geste de la main comme pour chasser ces filles de notre vie, à tout le moins de son souvenir.

– Tu m'aimes ? me demanda-t-il.

– Peut-être un peu.

– Le reste n'a pas d'importance.

Puis une idée parut le frapper et il éclata de rire.

– Alors, Helen s'est foutue à poil pour te séduire, et elle a fait un bide, ça c'est la meilleure !

– J'avais déjà accepté de t'appartenir, alors ce n'était plus possible avec quelqu'un d'autre, répondis-je sincèrement, et puis j'évite de m'approcher de trop près des vipères. Ce sont des bêtes méchantes.

Il me souleva dans ses bras et me porta sur le lit.

Nous étions de retour depuis un moment déjà dans la salle commune quand le shérif apparut, toujours flanqué de son adjoint au teint jaunâtre qui tenait une liasse de fax à la main.

– Je vous ferai évacuer tous par hélicoptère demain matin, l'appareil devra faire deux voyages. Pour ce soir, je n'emmènerai que le coupable.

Cette déclaration fit sensation. Cette outre imbibée de bière prétendait-elle avoir résolu en une heure une énigme qui nous déconcertait tous ? C'est dans ces moments-là qu'on se rend compte qu'une personne compte vraiment pour vous : j'étreignis la main d'Ellery, j'avais peur qu'il ne soit le criminel, même si je ne pouvais imaginer son mobile.

– Ainsi vous avez déjà débrouillé cette affaire, shérif ? dit Holmes d'un ton aussi dubitatif que méprisant.

– Pour sûr, ce n'était pas bien compliqué, avec le

fax de l'hélico tout se vérifie vite aujourd'hui. Lis-lui ses droits constitutionnels, ajouta-t-il à l'adresse de son adjoint en désignant Marlowe du menton.

– Pourquoi moi ? s'étonna ce dernier une fois que la formalité fut accomplie.

– Même ces petits messieurs avaient compris qu'il s'agissait d'une question d'héritage, répondit le shérif. Mon confrère de Westlake Village m'a appris que Gary Kopielowski était en réalité le fils naturel de James McNally, le beau-frère de June, pas du tout de son associé. Peu avant sa mort le vieux James a même reconnu ce fils qui peut porter légalement aujourd'hui le nom de McNally. C'est sous ce dernier nom que, dans quelque temps, il aurait fait reconnaître ses droits sur l'héritage à travers un homme de loi. Personne n'aurait fait le rapprochement avec l'invité au nom polak et hop, passez muscade.

– Il nous avait caché ça, dit Poirot d'un ton peiné.

– Ben voyons ! C'est comme dans votre jeu, reprit le shérif, le meurtrier a le droit de mentir, faut pas s'en étonner.

– J'avais mes raisons pour ne pas parler de mes problèmes familiaux, dit « Marlowe » d'un ton pincé. C'est tout ce que vous avez contre moi ?

– Foutre non ! Que faisait ce charmant jeune homme ? Des bateaux avec son papa comme il vous l'a dit ? Mon cul ! Il se faisait entretenir par une riche veuve, un point c'est tout. Plus jeune, il avait été lanceur de couteaux chez Barnum, super-doué, paraît-il. Mon collègue a obtenu un permis de perquisition du juge, c'est une petite ville ça a pas traîné, ils jouent au poker ensemble, et il a fait un petit tour chez vous, Mr McNally. Il a viré une bonne femme qui faisait un boucan de tous les diables en invoquant tous les amendements de la Constitution, et il a trouvé sept poignards. D'après le Polaroïd qu'il m'a faxé, ils sont identiques à celui qui a servi ici. C'est normal, il y en a toujours huit pour encadrer le corps de la pute en maillot qui pose devant la cible. Il sera facile de les comparer, ce sont des engins de cirque, Mr Holmes, pas des couteaux de commando.

Les menottes se refermèrent autour des poignets du jeune homme. Columbo leva timidement la main, comme un écolier qui n'ose pas poser une question au maître.

– Heu... s'il est entré par la fenêtre du couloir, pourquoi avons-nous trouvé des éclats de verre à l'extérieur ?

– Ben, pour faire accuser Pete Keyhoe ou Miss Evans, gros malin. Il n'est pas idiot, ce garçon, il lui fallait tout à la fois pénétrer dans la maison pour récupérer son arme et détourner les soupçons de lui. D'où cette mise en scène qui n'aurait pas trompé un enfant de trois ans, mais convenait bien à des intellectuels compliqués comme vous. De toute façon, il était évident que June McNally avait été tuée tout de suite après le séisme, même si elle avait pris des somnifères. Une telle secousse aurait réveillé n'importe qui. Ce type a saisi sa chance et, au retour, il courait si vite pour que son absence ne paraisse pas suspecte qu'il est tombé. Tout ça est très simple, mais comme détectives vous ne valez pas un pet de coyote. Miss Evans c'est différent, elle était amoureuse, ça perturbe.

– Nous n'avions ni fax ni téléphone à notre disposition, fit remarquer Poirot, non sans aigreur.

– Soit, mais des indices existaient néanmoins, même s'ils étaient moins subtils que dans votre jeu. D'abord, les photos du mariage de McNally qui se trouvaient dans la chambre de sa femme et dans celle de Miss Evans montraient bien la ressemblance existant entre ce garçon et le frère du vieux John, en particulier le nez busqué. Mr Holmes est très fier de ses dons d'observation, mais il ne s'intéresse guère à l'élément humain, il a tout vu sauf ce détail. Ensuite, lors de vos essais, vous auriez dû remarquer que Kopielowski lançait plutôt bien le couteau pour un type à l'épaule en capilotade, même s'il a visé volontairement à côté de la cible. Enfin, et surtout, il était présent quand on a soigné Crâne de Fer et ne pouvait être au courant de l'échange de chambre, or vous aviez compris que l'héritier inconnu voulait se débarrasser de Susan. Une fois éliminés les toubibs et Miss Evans, il ne restait que votre Marlowe, et ça c'était déterminant. Allez, on embarque ce coco. 'Soir, m'sieurs-dames.

Son départ fut suivi d'un silence abasourdi que vint seulement rompre le bruit du moteur de l'hélicoptère. Susan fut la première à parler :

— C'est vrai, ce mec était là quand on a soigné Jim, je l'avais complètement oublié. Il ne pouvait savoir que nous avions échangé nos chambres... Alors, il a vraiment voulu me tuer, ce salaud !

Cette sortie nous fit rire et détendit l'atmosphère. Angela annonça qu'elle allait préparer le repas, et tout le monde se dispersa. Holmes vint me renouveler ses excuses et me donna la carte de son magasin, il m'offrirait l'objet de mon choix si je m'y arrêtais, et Columbo me demanda mon adresse complète pour m'envoyer son meilleur vin blanc. Après les avoir remerciés, je me retrouvai seule avec Ellery, pardon avec Steve, dans la petite bibliothèque.

— Pour la dernière fois, veux-tu m'épouser ?

— Non, dis-je fermement.

— Que ferez-vous seule à Sausalito, mon enfant ?

La voix du prêtre nous fit tous deux sursauter, nous ne l'avions pas entendu venir. Il tenait son chapeau à large bord d'une main et son parapluie de l'autre.

— Je n'y resterai pas, je m'y ennuie rapidement. Le FBI m'a proposé de devenir agent spécial, un vrai, pas comme les deux tarés des X-Files.

— Ça vous tente ?

— Pas tellement, en fait ils sont tous débiles au FBI.

— Alors, pourquoi ne pas accompagner le Dr Sandford à Los Angeles, au moins pour quelque temps ?

— Vous prônez l'amour libre, Père Owens ?

— Il y a des années, je n'ai pas su gagner June. Si

je pouvais ici, sous son toit, contribuer à réunir deux êtres qui s'aiment, je n'aurais pas perdu mon temps. Maintenant, je vous laisse.

Il s'éloigna de son petit pas trottinant et ferma doucement la porte derrière lui.

– Alors ? demanda Steve.

– Huit jours, pas un de plus, à moins que tu me trouves un crime bien sanglant à résoudre. Un qui soit dans mes cordes...

– S'il le faut, je le commettrai moi-même.

Table

Chapitre 1 : 15 janvier 1994 - 16 h 30 11

Chapitre 2 : 16 janvier - 19 heures 29

Chapitre 3 : 16 janvier - 21 h 30 47

Chapitre 4 : 17 janvier - 4 h 31 67

Chapitre 5 : 17 janvier - 6 heures 85

Chapitre 6 : 17 janvier - 8 h 30 105

Chapitre 7 : 17 janvier - 11 heures 123

Chapitre 8 : 17 janvier - 15 heures 143

Chapitre 9 : 17 janvier - 18 h 20 163

Chapitre 10 : 18 janvier - 8 h 30 181

Chapitre 11 : 18 janvier - 9 h 20 201

Chapitre 12 : 18 janvier - 11 h 30 219

Chapitre 13 : 18 janvier - 16 heures 239

DU MÊME AUTEUR

ROMANS

Cycle du domaine de R. :
La Passion selon Satan (1), Jean-Jacques Pauvert, 1960/1978
Le Jardin de la licorne (2), Jean-Jacques Pauvert, 1977
Les Hautes Terres du rêve (3), Jean-Jacques Pauvert, 1979
La Mort du héros, Denoël, 1984
La Cité fabuleuse, Éditions du Rocher, 1991

Cycle Carol Evans :
L'Héritage Greenwood, Presses de la Renaissance, 1981
La Chute de la maison Spencer, Presses de la Renaissance, 1982
L'Inconnue de Las Vegas, Presses de la Renaissance, 1982
Doctor Jazz, Presses de la Renaissance, 1988
Yerba Buena, J'ai lu, 1992
A Christmas Carol, J'ai lu, 1993

Trois Morts au soleil, Éditions du Rocher, 1986 (Grand Prix de littérature policière)
L'Île Isabelle, Stock, 1987
Le Mort et l'astrologue, Éditions du Rocher, 1987
La-Belle-est-venue, Robert Laffont, 1992
Baron-Samedi, Belfond, 1994
Le Sang du dragonnier, Belfond, 1995
Les Sept Masques, Éditions Albin Michel, 1996

ÉTUDES

L'Enfer des bulles, Jean-Jacques Pauvert, 1968
L'Enfer des bulles, 20 ans après, Albin Michel, 1990
Le Trésor des alchimistes, Jean-Claude Lattès, 1970
L'Énigme du zodiaque, Planète-Denoël, 1971

Les Filles de papier, Elvifrance, 1971
Les Trois Faces de l'astrologie (en collaboration avec M. Gauquelin), Retz, 1972
Histoire de la science-fiction moderne, Albin Michel, 1973
Histoire de la science-fiction moderne, Robert Laffont, 1984
Hier, l'an 2000, Denoël, 1973
Le Grand Art de l'alchimie, Albin Michel, 1973
Panorama de la bande dessinée, J'ai lu, 1976
Anthologie de la littérature policière, Ramsay, 1980
Anthologie de la littérature de science-fiction, Ramsay, 1981
Ma Gascogne, Arthaud, 1985
93 ans de B.D., J'ai lu, 1989

La composition de cet ouvrage
a été réalisée par I.G.S.-Charente Photogravure
à l'Isle-d'Espagnac,
l'impression et le brochage ont été effectués
sur presse Cameron dans les ateliers de
Bussière Camedan Imprimeries
à Saint-Amand-Montrond (Cher),
pour le compte des Éditions Albin Michel.

Achevé d'imprimer en avril 1997.
N° d'édition : 16411. N° d'impression : 4/396.
Dépôt légal : avril 1997.